ВЫСОКОЕ ИСКУССТВО ДЕТЕКТИВА

Детективные романы Татьяны Гармаш-Роффе:

Тайна моего отражения

Шантаж от Версаче

Частный визит в Париж

Голая королева

Шалости нечистой силы

Ведьма для инквизитора

Роль грешницы на бис

Вечная молодость с аукциона

Ангел-телохранитель

Королевский сорняк

Мертвые воды Московского моря

Е.Б.Ж.

13 способов ненавидеть

Уйти нельзя остаться

Расколотый мир

Ведь я еще жива

Черное кружево, алый закат

Ягоды страсти, ягоды смерти

Вторая путеводная звезда

Золотые нити судьбы

Властитель женских душ

Укрыться в облаках

И нет мне прощения

Сердце не обманет, сердце не предаст

Татьяна

Гармаш-Роффе

Сердце не обманет, сердце не предаст

эксмо
Москва
2013

УДК 82-3
ББК 84(2Рос-Рус)6-4
Г 20

Оформление серии *С. Груздева*

Сюжет романа разработан при участии *Вероники Гармаш*

Постоянный консультант автора:
Г. С. Соболь, частный детектив

Гармаш-Роффе Т. В.

Г 20 Сердце не обманет, сердце не предаст : роман / Татьяна Гармаш-Роффе. — М. : Эксмо, 2013. — 320 с.

ISBN 978-5-699-63685-3

Никого нынче не удивишь убийством, замаскированным под самоубийство... Но частный сыщик Алексей Кисанов был весьма озадачен, услышав, что имеет дело с самоубийством, замаскированным под убийство. Погиб Михаил Козырев, уважаемый психиатр, — то ли сам выбросился в окно, то ли его столкнули. Впрочем, Алексей не сомневался — он быстро разберется с этим делом... И ошибся! Человек погиб, но кто-то продолжает преследовать его близких и знакомых: подвергается нападению сестра Михаила, затем ассистентка, клиентка психиатра жестоко избита и находится в коме. Алексей уже начал всерьез опасаться за собственную семью! Чехарда странных и опасных событий будет продолжаться до тех пор, пока детектив не узнает тайну серебряного сердечка со стразами, за которым идет настоящая охота...

УДК 82-3
ББК 84(2Рос-Рус)6-4

ISBN 978-5-699-63685-3

Глава 1

ВОСКРЕСЕНЬЕ. ТУНИС

Получив ключ, мадам Пуарье вышла из холла ресепсьон и, осторожно переставляя трость, направилась по дорожке в сторону своего бунгало. Влажный и горячий воздух, пахнущий морем, лип к коже, чемодан погромыхивал колесиками на неровных плитках из ноздреватого желтого ракушечника. Навстречу ей в сторону ресторана текла пестрая толпа отдыхающих: священное время ужина наступило!

Мадам Пуарье тоже хотелось есть, и она прибавила шагу. Какой-то мужчина предложил ей помочь — вроде молодой, насколько видно в не слишком ярком свете фонарей. Хотя тут все молодые по сравнению с ней...

— О, вы так добры! — обрадовалась мадам Пуарье. — Я хожу медленно, отстала от группы, и багажисты уже разошлись с чемоданами...

— Вы бы попросили позвать!

— Да ничего, я и сама могу управиться... Знаете, мне восемьдесят девять лет, я давно путешествую одна, вдовой осталась...

Она засеменила к своему бунгало, опираясь на трость, за мужчиной, который помог ей отпереть дверь и вкатил ее нетяжелый чемодан вовнутрь.

— Я уже седьмой раз в этот отель приезжаю, и всегда в это время года, в сентябре, на три недели. У меня тут много друзей, мы общаемся, прекрасно проводим время...

Ей хотелось поговорить с ним, рассказать о своей жизни, но она знала: молодым неинтересно слушать стариков.

— Я могу вам еще чем-нибудь помочь, мадам? — спросил мужчина, которому явно не терпелось уйти.

— Что вы, что вы, я и так вам очень благодарна! Идите на ужин, идите.

Достав из чемодана нужные вещи, мадам Пуарье быстро переоделась: легкое светлое платье и кожаные сандалии лежали сверху, она их специально так положила, — опыт научил, ведь она и впрямь семь лет ездит в Тунис, и всегда в этот отель! Пригладив седые волосы перед зеркалом, она взяла трость и отправилась в ресторан. Там шумно и светло, и пахнет вкусно... Это был один из самых ее любимых моментов на отдыхе.

Ела мадам Пуарье неспешно, поглядывая на темную массу моря. Казалось, огромный черный зверь раскинулся за террасой ресторана и тихо дышал во сне, изредка причмокивая, как младенец...

Закончив свою трапезу одной из последних, старая женщина отправилась обратно в бунгало. Путь ее лежал мимо бассейна и бара, где уже играла музыка, зазывно кричали аниматоры в микрофоны. Люди пили и танцевали, смеялись. Хорошо-то как! Мадам Пуарье и сама бы посидела с ними, но перелет ее утомил... Старость обидна, даже оскорбительна, — она унижает человека, издевается над ним... Но ничего, ничего, — Оливия Пуарье с ней еще поборется! Она не намерена сдаваться, она еще поживет! Завтра обязательно примет участие во всей программе отеля с этими чудесными, задорными молодыми людьми — аниматорами! Но сегодня разумнее пораньше лечь, отдохнуть.

Несмотря на слабое освещение, она прекрасно ориентировалась в переплетении крошечных дорожек, на которые выходили двери многочисленных белых бунгало. Все-таки семь лет сюда ездит, уже как у себя дома. Вот и знакомый поворот, за ним дворик с пальмами, кустами олеандра и гибискуса, по сторонам от него ответвляются дорожки... Ей показалось, что до ее слуха донеслись далекие и дружные аплодисменты. Мадам Пуарье приостановилась, прислушалась с легкой завистью... А, нет, это пальма плещет плотными кожистыми листьями на легком ветру.

Мадам Пуарье кивнула ей, как старой знакомой, и двинулась дальше. Сейчас направо, и вуаля — ее бунгало! Мадам Пуарье заблаговременно вытащила карточку-ключ... И чуть не споткнулась обо что-то.

Опершись на трость, она наклонилась, не понимая, что это у нее под ногами... Свет тут неяркий, а зрение у нее не особо-то, в ее восемьдесят девя...

Разглядев, мадам Пуарье не устояла, осела на дорожку и закричала изо всех сил. Никогда в своей долгой жизни мадам Пуарье не видела ничего более страшного! На плитке из ракушечника, между упавшей тростью и ее левой ногой лежала... *рука*!

Женщина кричала, пока голос ее не сел и сама она не выбилась из сил, но никто ее не слышал. Со стороны бара неслась музыка, микрофоны усиливали голоса аниматоров — где уж тут услышать! — а мадам Пуарье все сидела на теплой дорожке, возле своей страшной находки, не в состоянии подняться и двинуться за помощью.

Когда, наконец, шум да гам у бара закончился и народ дружно направился в сторону амфитеатра на вечерний спектакль, одна молодая пара ее увидела, проходя мимо дворика. И бросилась к старой женщине, думая, что ей стало плохо и она упала.

— Нет, нет, мне не плохо, — проговорила мадам Пуарье. — Плохо вот ей... — и она указала дрожащим пальцем влево от себя.

Увидев на дорожке руку, молодые люди разразились восклицаниями, но мадам Пуарье настойчиво тыкала в кусты:

— Туда смотрите, туда, у этой руки есть хозяйка, вон она лежит, видите?

Прибежала администрация, приехали две машины полиции и карета «Скорой помощи». Женщину осторожно извлекли из кустов. Она оказалась жива (о, как этому обрадовалась добрая мадам Пуарье!), но без сознания: кто-то ее жестоко избил. Администрация в лице двух грузных мужчин мгновенно женщину опознала — не столько по заплывшему от побоев лицу, сколько по светлым длинным волосам, редким в этих местах: Ирина Липкина, русская, приехала два дня назад. Красивая женщина, и волосы роскошные... Непокрытые, конечно. Неудивительно, что с ней так обошлись. Скромнее женщине надо быть, тогда Аллах ее убережет.

Врачи уехали, увезя женщину в больницу, а полиция приступила к осмотру номера и расспросам. Отдыхающие уже прознали о происшествии и сбежались в холл ресепсьон, где мадам Пуарье, несмотря на усталость, выполняла свой гражданский долг и блистала в главной роли: именно она нашла тело! И так испереживалась, такого страху натерпелась, — в ее-то годы!

Все с сочувствием и любопытством смотрели на разрумянившуюся от такого внимания старушку, пара поддатых французов средних лет даже предложили ей выпить в баре у бассейна, полиция, однако, была крайне разочарована: никто не видел и не слышал, как напали на русскую. И что случилось, кто избил женщину до полусмерти да почему, вряд ли уже удастся узнать. Время ужина: все углы и закоулки пустеют, люди стекаются в ресторан, — на курорте зверский аппетит нагуливается в два счета... Время ужина в отеле — время мертвое.

Глава 2
ПОНЕДЕЛЬНИК. МОСКВА

...Только бы коснуться тебя! Прижаться, провести пальцами по теплой коже. Попробовать ее губами, языком...

Мне ведь так мало нужно, Миша! Мало, — большего все равно никогда не будет.

...Я пришла, Миша, чтобы сказать тебе...

Нет, зачем лишние слова? Он и так увидит, что я пришла. Надо начать прямо: «Миша, я люблю тебя. Я больше не могу это скрывать. Я хочу, чтобы ты знал: я люблю тебя!!!»

Он растеряется? Нет, вряд ли. Посмотрит на меня своими понимающими карими глазами и... Обнимет? Боже, сколько месяцев я вижу это во снах!

Или не обнимет... Скажет: женщинам часто кажется, что они влюблены в своих психологов, — такой вот феномен, Люба. Ты просто принимаешь привязанность и дружбу за любовь.

Он часто говорил об этом «феномене»: надеялся, что убережет нас от чувств к нему... Но все девчонки в него влюблены, и плевать им на «феномен»!

Они *влюблены.* Но одна я, только я люблю его по-настоящему! Он должен это понять!

Я не дам ему произнести свою коронную фразу. Я его просто поцелую. Ему ничего не останется, как ответить на мой поцелуй... Он ведь меня не оттолкнет, нет? Он не сможет... Он добрый...

Он меня не оттолкнет, а я буду его целовать так, что он почувствует... почувствует, что я женщина, влюбленная женщина, готовая на все... Пусть он меня не любит, — пусть лишь ответит на мой поцелуй! А потом, может, и...

Любе пришлось остановиться — у нее закружилась голова от тех сцен, которые теснились в ее воображении.

Миша, я ведь ничего не прошу взамен! Только позволь мне любить тебя, быть с тобой! Коснуться тебя, вдохнуть тебя...

Главное, помешать ему говорить. Иначе он скажет, что ему не дано любить — слышали, знаем! — и что он не имеет права пользоваться моими чувствами...

Если бы только можно было заклеить ему рот пластырем! Люба усмехнулась: тогда я не смогу его целовать.

Надо было раздобыть пистолет. И поцеловать его под дулом пистолета. Вот тогда бы он молчал!

Она горько улыбнулась своим мыслям. Все, что ей остается в этой жизни, — это вымогать любовь под дулом пистолета...

Она уже видела его дом. Еще несколько шагов, и показалось его окно. Открыто настежь — день сегодня солнечный, теплый, летний. Хотя к ночи станет холодно, все-таки календарь успел откусить первый кусок от сентября... Вон Мишин подъезд. Какая-то красивая блондинка вышла — не от Миши ли? Он не умеет любить, ладно, но секс... Нужен ведь ему секс? Есть ли у него партнерша? Это она вышла из подъезда?

Люба замерла. Почему-то раньше ей такая мысль не приходила в голову. Она точно знала: у Миши нет любимой женщины, — не только потому, что он сам так говорил, но и женским чутьем своим, обостренным и ревнивым, она это ощущала. Даже когда он ей рассказал об интересном знакомстве с одной известной журналисткой, она чувствовала: интерес Миши чисто интеллектуальный. А вот про секс почему-то никогда не думала... А вдруг... А если...

Зря она пришла. Не надо ничего Мише говорить. Ему не нужна Люба-Любовь. Ему не нужна любовь, а сексуальные потребности он удовлетворяет с какой-то другой женщиной. С блондинкой, к примеру, что вышла из его подъезда.

Миша, Мишенька... Саднит у меня душа, к тебе рвется... Но не нужна я тебе.

Больно-то как, Миша.

Слезы навернулись на глаза, затуманили мир. Люба бросила прощальный взгляд на окно Миши и уже было повернулась, чтобы уйти. Но тут же резко развернулась обратно, слезы ее мгновенно высохли, глаза широко раскрылись: там, из Мишиного окна, летит... падает что-то вдоль стены... Человек!!! Миша?!

Она кинулась к дому. Подбегая, услышала глухой стук тела о землю. Раздвинув кусты, она ринулась под их плотный свод. Черная водолазка... Темные прямые волосы... Мужчина лежал лицом вниз, примяв собой несколько веток, ноги подвернуты, из заднего кармана джинсов высовывается знакомый смартфон...

Миша.

Миша???

Опустившись на колени, Люба потянула мужчину за плечо на себя...

Лучше бы она этого не делала.

В размозженном лице невозможно было узнать никого, но она не сомневалась: это Миша. Это ее разбитая любовь. В самом прямом и страшном смысле этих слов.

Она отпустила плечо, и тело приняло прежнее положение.

Значит, он все-таки это сделал. Он не хотел жить. А она, идиотка, шла к нему, несла ему свою любовь. Разве нужна любовь человеку, которому не нужна жизнь?

Люба взяла его правую руку — левая оказалась под телом — и прижалась к ней губами. Ей сейчас хотелось окаменеть, превратиться в статую и сидеть так вечно, целуя его руку...

Кто-то резко выбежал из подъезда, хлопнув дверью, кто-то закричал: «Я видела, человек выпал из окна!» Послышался топот: к месту падения бежали люди.

Люба бережно опустила кисть Миши... И вдруг из его пальцев выскользнуло что-то серебристое, цепочка змейкой чиркнула по ее ладони и зацепилась за мизинец, — казалось, Миша вручил ей свой подарок, прощальный подарок! Она схватила маленький предмет, еще теплый, и быстро вынырнула из кустов с противоположной от подъезда стороны. Ей не хотелось присутствовать при оргии праздного соседского любопытства.

Ушла она никем не замеченной, унося в сердце горе, а в кулачке — маленькую серебристую вещицу, хранившую Мишино прикосновение.

Глава 3
ПЯТНИЦА. МОСКВА

Веер остроконечных лучей врезался в щель между тучами, и сразу ярко вспыхнула желтизна в длинных прядях берез — так сверкают седые нити в смоляных волосах цыганки. Березы полны спокойствия и величия, несмотря на то что пришло время умирать. Они похожи на девственниц, которых древнее племя приносит в жертву своему богу. Этот бог жесток. Он оголит их стройные белые тела, будет хлестать дождем, бить их морозом и вьюгой. Но березы знают: это их высокая миссия. Жертва не напрасна: их вознаградят новым рождением. Так бывает каждый год.

Мы, люди, тоже знаем, что сентябрь на дворе. Но живем так, будто осень начнется еще не скоро, а зима вообще не придет. Мы еще пытаемся загорать на слабеющем осеннем солнце, мы еще не убрали на дальние полки летние одежки. Мы не готовимся к предстоящему, — мы ловим уходящее. И потому зима станет для нас в очередной раз неожиданностью — вот уж в самом деле как снег на голову. И будем мерзнуть, поскальзываться, проклинать зиму и звать весну. И с изумлением взирать на белые тела берез, схваченных ледяным холодом, удивляясь их смирению и величию...

Александра посматривала в окно, на небольшой сквер, раскинувшийся между домами, и набрасывала текст для очередной статьи. Сроки уже поджимали, но она никак не могла ее закончить. Материала она собрала предостаточно, да и тема не новая: причины самоубийств. Она прочитала множество умных рассуждений социологов, психологов, но имелся в этой проблеме один странный аспект, формулировка которого ей никак не давалась. Да и как объяснить склонность человеческого сознания верить в чудеса и игнорировать реальность?

Вот так, бросаясь с крыши, подростки не верят, что умрут. Они жаждут отомстить слишком суровым родителям или предмету своей первой неразделенной любви, видя себя (после смерти) в центре внимания тех, кому предназначен их жест. Но все это представляется подросткам, будто в кино, — словно они еще будут живы и сумеют насладиться чувством вины и сожалениями своих обидчиков... Александра с болью думала о том, как мгновенно взрослеют эти дети в последние секунды своей жизни, в те секунды, когда уже поздно, когда ничего не исправить, когда приближается убийственный асфальт или затягивается смертельная петля, — и они вдруг отчетливо понимают: все по-настоящему...

И даже взрослые люди, взбираясь на табуретку, накидывая на шею петлю, не понимают, что жест их *необратим.* Сколько исповедей спасенных самоубийц Александра прочитала, и во всех (за редким исключением) одно и то же: человек хотел прокричать своим жестом, что ему плохо... и делал себе еще хуже. И сколько душераздирающих криков «спасите, доктор, спасите меня!» слышала она в больнице, куда привозили самоубийц, еще живых... Иные умирали у нее на глазах — с каждым уходящим вздохом моля врачей о помощи, которую уже никто не мог им оказать. А Александре хотелось кричать: о чем ты думал (думала) раньше? Что, травясь серной кислотой, выживешь? Просто накажешь близких за невнимание? А они поймут, раскаются, и вы будете жить долго и счастливо? Увы, ты — нет. Потому что тебя уже нет...

Парадокс: у нас множество знаний, но они не удерживаются в мозгу. Знание — это начало мысли, а мысли утомляют. Поэтому мы всё знаем, — но живем так, будто не знаем. И все время удивляемся. «О, как ты вырос!» — мы потрясены, хотя нам отлично известно, что дети растут, еще с тех пор, как росли мы сами и взрослые донимали нас подобными нудными восклицаниями. «Ой, как он постарел!» — поражаемся мы, увидев знакомого актера на экране. А ты сам — нет, что ли? Ты постарел, все постарели. Но куда там, — удивляемся. Снегу зимой и жаре летом. Ангине после мороженого и похмелью после попойки. Всему. Потому что знание не работает, мысль не работает. Зато верим гадалкам. В кофейную гущу и в черную кошку. Опустевшее место для знаний зарастает в мозгу бурьяном суеверий.

Что это за феномен такой? Как его описать, объяснить? Нужны простые слова, но они никак не давались Александре. И она смотрела в окно на березы, будто прося у них помощи. Хорошо хоть утро сегодня выдалось спокойное, и ничто не мешает ей работать...

Алексей Кисанов, частный детектив, тоже радовался, что утро выдалось спокойным. Жена работала над новой статьей, малыши — их двойняшки, Лиза и Кирюша — гуляли с няней, а сам он долго обсуждал со своим старшим сыном (внебрачным, точнее добрачным) Романом по скайпу идею, которая обоим пришла в голову почти одновременно. Дело в том, что, страстный любитель джаза, Алексей пристрастил к нему и сына, и вот пару дней назад каждого из них спонтанно осенила мысль: было бы еще лучше «медитировать» под джаз, когда играешь сам... Ну, к примеру, на саксофоне.

— Вот, па, я нашел объявления. Есть частный учитель, который обещает быстрое обучение... не знаю, верить ему или это так, для заманки? Есть курсы для детей и начинающих взрослых при музыкальных школах. В общем, предложений уйма. Но я вот о чем подумал: было бы классно ходить на уроки вместе...

Роман сделал паузу, ожидая ответа. Они, отец и сын, не так давно узнали о существовании друг друга, и знакомство их началось, мягко говоря, не лучшим образом. Все утряслось, к счастью, и взаимное прощение поставило точку в той трудной истории[1]. Но отношения их были все еще новыми и свежими, и каждый вел себя с осторожностью и бережностью, боясь что-нибудь невзначай испортить... Так обращаются с дорогим и хрупким подарком.

— Конечно, — согласился Алексей. — Нужно выбрать курсы в таком месте, куда от тебя и от меня удобно добираться.

— Вот, — в голосе молодого человека слышалось удовлетворение, — я об этом тоже подумал и нашел четыре таких точки...

Роман принялся диктовать адреса, но детективу дослушать его не удалось: жена отвлекла.

— Алеша, — отвела она мобильник от уха, — у меня на связи девушка, которая знает, что мой муж — частный детектив, и умоляет тебя взяться за расследование одного путаного дела... Возьмешься?

---

[1] См. роман Т. Гармаш-Роффе «Расколотый мир», издательство «Эксмо».

— Не услышав сути? — удивился Алексей.

— Я тебя прошу. Пожалуйста, скажи «да». Я потом все объясню.

И детектив сказал «да».

Отключившись, она посмотрела на мужа с тем выражением, которое Алексей без труда расшифровывал как «всё очень сложно».

— Начни уж с чего-нибудь, — подбодрил он Александру.

— Погиб один молодой мужчина... Полиция считает, что это убийство. Но Люба...

— Которая тебе звонила?

— Она самая.

— Его подружка?

— Нет, не думаю... Люба убеждена, что это самоубийство. Замаскированное под убийство.

— Погоди-погоди... Как это? Обычно **убийство маскируют под самоубийство**, а не наоборот! Но ты мне говоришь, что...

— Да, именно так. Этот парень — психиатр, который вел работу с самоубийцами и с наркоманами. Теперь полиция считает, будто его убил кто-то из группы наркоманов с целью ограбления. Но Люба убеждена: он сам ушел из жизни.

— На чем основывается ее мнение?

— Он вроде бы давно хотел это сделать. Но не мог: жалел родителей, особенно мать. Самоубийство вызовет у нее чувство вины, будто она что-то недодала сыну. Кроме того, его родители — верующие, они бы не простили сыну подобного жеста. Его ведь отказались бы отпевать в церкви... Поэтому Михаил — так этого парня звали — предпочел обставить самоубийство как убийство. Так считает Люба.

— Ничего себе! Такого у меня еще не было.

— Люба — его правая рука в работе. И теперь она в панике: полиция трясет пациентов Михаила, особенно наркоманов. Тогда как они, по ее словам, чуть ли не молились на него... Никогда бы не подняли руку на своего учителя-спасителя.

— Ее мнению можно доверять, на твой взгляд?

— Понятия не имею. Я с ней не знакома.

— Так почему она позвонила тебе?

— Слушай. Ты помнишь, в последнее время я собирала материал о самоубийцах для большой статьи. О них немало написано в психологической литературе, но ты меня знаешь: я не люблю опираться на чужие мнения...

О да, Алексей хорошо знал свою жену: она не поддается влиянию никаких устоявшихся клише, предпочитая иметь собственное суждение о предмете. Для чего, понятно, предмет следует изучить. Она серьезная журналистка и, по ее собственному выражению, «отвечает за каждое свое слово».

Статистика свидетельствовала об учащении суицидов, и Александра не могла не обратить на этот факт внимания. Казалось бы, никакой загадки здесь нет: раз люди предпочитают смерть, значит, им плохо жить и они сделали свой выбор. Причем добровольный. Но это казалось только на первый, поверхностный взгляд, который Александру никогда не устраивал. И она взялась исследовать проблему.

На второй взгляд суицид — это крик о помощи. Это крик боли, адресованный окружающим. Исключением являются, пожалуй, пожилые люди. Они не только осознают необратимость своего жеста, но на него и рассчитывают. Они уже видели смерть близких, — они знают, что взяли билет в один конец. Но одиночество вкупе с физическими страданиями иной раз совершенно невыносимы, и люди сознательно выбирают этот путь.

И это тоже нетрудно понять.

Вдумываясь в проблему, Александра нащупала еще один аспект, тот самый, который пока не могла хорошенько сформулировать: о склонности человеческого сознания верить в чудеса и игнорировать реальность.

Но вот что ей никак не удавалось постичь, это самоубийства от одиночества взрослых людей, полных сил. Почему их мучает одиночество? Почему молодой, здоровый человек чувствует себя отверженным? Не уверен в себе? Так найди книжки, их миллион, почитай, воплоти советы в жизнь! Не вышел лицом? Так подойди к зеркалу, присмотрись: так ли уж фатально все?

Может, надо просто сходить в спортзал? Или приобрести навыки здорового питания (и вес лишний уйдет, и кожа станет лучше)... Или просто немножко макияжа использовать, изменить прическу? Или всего лишь почаще мыться, а?

Александре казалось, что всё в руках у этих людей — стоит только оторвать филейную часть от стула! — а они почему-то сидят и ноют, себя жалеют... и кончают, в итоге, жизнь самоубийством.

Она долго искала ответ на этот вопрос, снова читала сайты, где обсуждались проблемы и причины суицида, — и не находила. Все описываемые проблемы решались, с ее точки зрения, простым постулатом: действуй!

Но люди не действовали. Люди предпочитали уйти из жизни. Нередко выбирая для этого весьма болезненные способы... И Александра снова и снова задавала себе вопрос: почему???

Однажды она наткнулась на блог под псевдонимом «Микаэль», который ее ошеломил. Там был опубликован один-единственный короткий пост под названием «Дайте мне хоть одну причину жить». Выглядел он так:

«Я отбываю жизнь как повинность. Я не люблю ее. Мне скучно. И это очень утомительно. Я устал. Я хочу уйти. Дайте мне хоть одну причину жить, — может, я что-то не разглядел?»

Комментариев же накопилось почти две тысячи. Микаэль отвечал почти на все.

— *Единственное, что вас спасет, — это любовь,* — писала некая fortuna.

— *Я не умею любить,* — отвечал автор блога. — *Я забочусь о своих близких, но я никого не люблю.*

— *Просто вам не встретилась настоящая любовь,* — настаивала девушка.

— *Я ее никогда не встречу. Я ее не жду, она мне не нужна. Я не умею любить. У меня неправильные гены.*

— *Парень, у тебя наверняка проблемы с сексом,* — писал некто под ником «temnota». — *Ты просто полечись, и тогда узнаешь, зачем жить, гы.*

— *Гы, у меня проблем с сексом нет,* — отвечал Микаэль, — *а может, и есть, но такая, которая называется гиперсексуальность. Я все время хочу секса, но это скучно. Все равно как все время хотеть жрать. Замаешься.*

— *Уважаемый Микаэль,* — писала Муза, — *я, конечно, не специалист в области таких вещей, как желание смерти. Но мне кажется, что вы просто не нашли дела по душе. Такого дела, ради которого стоит жить! Когда думаешь о нем днем и ночью, когда прямо руки чешутся от желания воплотить новый замысел! Я вот недавно начала писать рассказы, и, знаете, моя жизнь так сильно изменилась! Я тоже страдала от одиночества и тоже подумывала о самоубийстве, но теперь я поняла, в чем мое призвание! И я хочу жить, хочу творить! И вам, дорогой Микаэль, нужно просто найти себя! Свою творческую жилку!*

— Милая Муза, — отвечал Микаэль, *— я не хочу раскрывать свое инкогнито, но, поверьте на слово, я не страдаю ни от одиночества, ни от нереализованности. У меня очень интересная профессия... Интересная с точки зрения общества. Я приношу пользу людям и вполне мог бы чувствовать себя «вторым после бога»... Но у меня нет амбиций, я не тщеславен, да и сердоболен тоже в меру.*

— «Вторым после бога»? Я слышала это выражение... Вы — врач, да?

— Допустим.

— Но как же вы можете, Микаэль, не гордиться своей профессией? Вы ведь спасаете людей!

— Возможно, именно поэтому я еще не покинул этот бренный мир. Мне жить неимоверно скучно, но хоть другим польза есть...

В блоге имелось еще немало комментариев от девушек, которые пытались завязать отношения с автором, — он им представлялся этаким Печориным, романтическим героем, уставшим от жизни, но будто бы не совсем всерьез... Не до такой же степени, чтобы и впрямь покончить с собой! При этом Микаэль был стойко любезен, хоть и уклончив; всегда отвечал на комментарии, что разогревало надежду на более близкое знакомство, и девушки охотно поддавались обаянию его загадочной личности.

Однако Микаэль вежливо и аккуратно, никого не обижая, уклонялся от всех явных и скрытых предложений познакомиться поближе. Хоть Александре он и показался изрядным позером, но в одном он, по крайней мере, не солгал: этот блог не служил приманкой для чувствительных девиц.

По мере чтения диалогов Александра все отчетливей понимала, к чему Микаэль клонит: любовь к жизни (соответственно, и к людям) попросту не заложена в его генах, — этакий сбой природы. Что ему ни скажи, ни предложи, всё ему скучно и неинтересно. А виноваты в этом — гены!

Александра не выдержала и написала Микаэлю в личный ящик.

«Мне кажется, что в Ваших словах есть изрядная доля игры, даже кокетства. Я не верю Вам, простите.

Я не поставила вопросительный знак, но все же рассчитываю на Ваш ответ. Он для меня важен. Я журналистка, исследую проблему суицидов.

Александра Касьянова».

Ответ не заставил себя ждать:

«Почитал о Вас в Интернете. Впечатлен. С удовольствием отвечу Вам, но сначала хочу заручиться Вашим обещанием полученную информацию не разглашать».

Александра тут же отбила:

«Можете на меня положиться».

«Спасибо, — ответил Микаэль. — *Вы правы, в моих словах есть доля игры. Насчет кокетства не знаю, я в этом деле не силен. Я психиатр, занимаюсь проблемами суицидов среди молодежи. Этот блог важен для меня: таким образом я пытаюсь узнать мнение молодых же людей, их ценности, их взгляды и советы. Возможно, они мне пригодятся для работы с моей группой потенциальных самоубийц.*

С уважением, Михаил Козырев».

— Мы с ним обменялись еще несколькими письмами. Он сказал, что в блоге говорил почти правду. Он действительно не ощущает радости жизни и потому заполнил ее работой. Но работа — это умственная цель, а не чувственная. Природа подкачала, не дала ему способность ни любить, ни увлекаться, и он вынужден сам продвигать себя по жизни усилием мысли — как барон Мюнхгаузен, сам себя тащить за волосы из болота, — формулировать себе новые задачи, ради которых стоит жить... Как-то так.

— И ты ему легко поверила?

— Не сказать, чтоб легко... Но, Алеша, есть такие вещи, как стиль, как выбор слов, как синтаксис... Они не лгут. А когда лжет их автор, они его выдают.

— Да отчего же ему не жилось?!

— Михаил заверял меня, что ему в самом деле не дано чувство любви, и объяснял это генами. В одном его письме... Погоди, лучше я тебе зачитаю... Ага, вот оно, слушай!

«Мы судим по себе, и на этом основании предъявляем требования к другим, — катастрофически не понимая, насколько мы разные. Наша разность определена сочетанием генов, и судить людей, не похожих на нас, не следует! Как можно упрекать кого-то в отсутствии дара самоанализа — дара, который мог бы вывести потенциального самоубийцу к пониманию его проблем, — если этот дар ему не дан природой? Как можно вменять в вину низкую энергетику, если природа не наградила человека сильной? Надеюсь, Вы согласны со мной... И тогда поймете, что бесполезно пропагандировать радости жизни человеку, которого на генном уровне обделили этой способностью — ощущать радость. Человеку, которому не по воспитанию, не по мировоззрению, а просто по прихоти природы не дано любить то, что любят остальные...»

— И ты решила на основании этого текста...

— Что он не лгал. Подобный текст ни один лгун не в состоянии придумать. И, главное, лгуну незачем. Это выстраданное.

— Итак, у нас мужик, который был действительно готов покончить с собой, да?

— Готов или нет, но подумывал об этом.

— Однако девушка Люба считает, что Михаил так-таки привел в исполнение свое намерение... И теперь у меня труп.

Александра лишь пожала плечами, подтверждая очевидное.

Встречу назначили на Смоленке, в трехкомнатной квартире в доме, построенном архитектором Жолтовским, где Алексей жил с рождения. Теперь, когда они с Александрой купили новое жилье ради детей, он сохранил там одну из комнат в качестве рабочего кабинета и офиса для приема клиентов. В другой комнате обитал Игорь, его ассистент: жилье являлось частью оплаты за его труды. Ну и третья, спальня Алексея, оставалась в неприкосновенности, — ему нередко случалось ночевать на рабочем месте.

Александра, в ожидании Любы, приготовила кофе. Этот напиток являлся лучшим и бессменным топливом для сыщицкого мотора... организма, то есть. В последнее время в прессе стали писать, что кофе весьма полезен для здоровья, и Алексей Кисанов чрезвычайно радовался новым веяниям в медицине, а то раньше всё утверждали, что кофе вреден... Да как же без него?!

Аппарат «эспрессо» как раз выдал третью чашку, по числу присутствующих, когда прозвенел дверной звонок.

Люба оказалась невысокой невзрачной девушкой, возраст которой сыщик не смог бы точно определить: что-то между двадцатью и тридцатью годами. Треугольное личико — острые скулы и подбородок; глубоко посаженные серые глаза; темно-русые волосы, перышками торчащие в стороны: стрижка вроде и модная, да волосики жидковаты. Джинсы ее провисали там, где положено быть ягодицам; маечка не круглилась там, где положено быть груди. В театре она бы запросто получила роль травести — играла бы хулиганистого пацана.

Люба с порога протянула маленькую ладошку всем по очереди, и пожатие ее оказалось неожиданно крепким и энергичным. Александре подумалось, что жест отрепетированный: мол, не смотрите что я мелкая, — я сильная! Такой жест часто встречается у мужчин с комплексами по поводу своего роста или телосложения, иначе говоря, у тщедушных.

— У меня вот какой вопрос, Алексей Андреевич, — деловито приступила она к беседе, пройдя в кабинет, — а почему вы сказали, что хотите узнать от меня о выводах полиции? Вы ведь частный детектив, неужели у вас нет возможности узнать напрямую, от самих полицейских?

— Неожиданный вопрос. В принципе, возможность такая есть. Но сначала я хочу получить информацию от вас, Люба, из первых рук. Ведь вы теперь моя клиентка.

Сказать по правде, детектив немножко слукавил. Делом занимались наверняка районные, а у него хоть и были отличные связи, но на Петровке, где когда-то работал он сам. Пока что Алексей даже не знал, о каком отделении идет речь, что там за люди работают, легко ли будет ознакомиться с делом, если понадобится. А вот понадобится ли, — именно это он и собирался сейчас выяснить.

— Или у вас какие-то возражения? — спросил он Любу.

— Нет... Но в полиции знают больше... Они вряд ли мне всё рассказали.

— Не беспокойтесь об этом.

— А вы... Вы сказали, что я ваша клиентка... Надо бы узнать сначала, сколько это будет стоить!

Она покраснела.

Александра, бросив взгляд на мужа, вмешалась:

— Нисколько, Люба. Вы знаете, что я общалась с Михаилом, поэтому вы мне и позвонили. Можно, пожалуй, сказать, что мы с ним были виртуальными друзьями... И Алексей Андреевич взялся за расследование по моей просьбе.

— А, ну тогда... ну, хорошо. Спасибо.

«Ну, тогда хорошо, спасибо». Кому хорошо, кому и не особо, по правде говоря. Алексей не так уж редко брался за бесплатное расследование, иной раз вопрос стоял устрашающе примитивно: жизнь или смерть, — отчего и не вмешаться он не мог. Иначе бы ощущал себя пособником убийцы. Однако люди, для которых он работал

бесплатно, редко понимали, что он не просто берется за некое *дополнительное* расследование, нет! Оно требует больших затрат по времени и по силам, отчего детективу приходилось отказываться от другого расследования, за гонорар. За деньги, которые нужны его семье. Это серьезная жертва!

Его злило, когда люди этого не понимали.

Ладно, сказал он себе, в конце концов, тут задача простая: установить, убийство это или самоубийство. О большем его никто не просил. Так что незачем дергаться: с этим он разберется быстро!

Когда все расселись в кабинете Алексея — Люба от кофе отказалась, согласилась лишь на стакан газированной воды, — детектив попросил ее изложить суть дела как можно подробнее.

— Ну, в общем, — Люба отпила из стакана, — Миша покончил жизнь самоубийством... как и намеревался. Он выбросился из окна своей квартиры на седьмом этаже. А полиция не верит! Они считают, что его кто-то столкнул, хотя никаких следов постороннего в квартире нет, по их же словам...

Вопрос-ответ, слово за слово, — и Алексей выяснил все, что знала и домысливала Люба.

Итак, три дня назад Михаил Козырев, довольно известный психиатр, выпал из окна своей квартиры. Свидетелей не нашлось — таких, которые увидели бы кого-то постороннего в открытом окне. Следов взлома двери нет. Равно как и предсмертной записки.

— Почему вы обратились ко мне только три дня спустя?

— Думала, полиция поймет, что это самоубийство. Но они стали трясти наших ребят, из группы нарков...

Наркоманов, понял Алексей.

— ...особенно Олега, их старосту. А у него алиби есть, между прочим! Он на работе в это время был! Но кто-то из соседей описал похожего на него человека, который выбежал из подъезда вскоре после падения Миши... Хотя описание такое поверхностное, что даже фоторобот в полиции составить не смогли, сразу на наркоманов все повесили. На них ведь проще свалить, вы же понимаете! Даже если они бывшие... А из подъезда еще блондинка выходила, так полиция в ее сторону не копает!

— Откуда вы про блондинку знаете?

— Я? В полиции слышала... Да какая разница, кто из подъезда выходил! — вдруг сорвалась Люба. — Миша сам выбросился из окна, понимаете? Сам!

Ну что ж, девушка права: кто вышел из подъезда и когда, Алексея Кисанова не касается, коль скоро Люба не просит найти убийцу Козырева. Она просит доказать, что это суицид. Чем и займемся безотлагательно, решил детектив.

Ключи от квартиры Козырева имелись у Любы, и они — Алексей с Александрой и Игорем, ассистентом, и сама Люба, разумеется — час с небольшим спустя были под дверью квартиры, почему-то не опечатанной, где Михаил проживал.

— Я не предупредила, извините... В квартире беспорядок.

С этими словами девушка повернула ключ и распахнула дверь. Алексей Кисанов вошел первым и встал на пороге большой комнаты, преградив рукой доступ остальным.

— Батюшки... Это не беспорядок, Люба. Здесь был обыск. Вы в курсе, что полиция тут искала?

— Не полиция, нет... Так здесь все было, когда она приехала.

— В таком случае, кто-то обыскивал квартиру Козырева. И вы, несмотря на это, считаете, что он бросился из окна сам?

— Миша создал видимость обыска... чтобы все подумали на нападение... Из-за родителей, я говорила Александре...

— Кто вызвал полицию?

— Соседи. А мне полицейские позвонили первой, так как мой входящий был последним в его сотовом. Мы говорили по делу.

— Почему же не родителям?

— Они в Новосибирске живут.

— Братьев, сестер у него нет?

— Он никогда о них не говорил. Видимо, нет.

— А женщины? Жены, любовницы?

— Нет.

Александра тронула мужа за плечо.

— Алеш, я ведь тебе рассказывала о нем: он никого не лю...

— Да помню, я помню! — раздражился Алексей. Не верил он в такую байку, что человеку любить не дано. Пусть не какая-то там «высокая любовь» — да и что она собой представляет? — но человеку нужна близкая душа. Вот ему, к примеру, нужна Александра. Она и есть близкая душа, — без нее Алексею было бы очень неуютно на этом свете... Высокая ли это любовь или шкурная потребность, — в такие вопросы он не вдавался, полагая их бессмысленными. Да и вообще, шкурная потребность надежнее.

— Люба, а почему вы так уверены насчет женщины? Вы ведь сюда только приходили, но не жили, и знать не можете, как проводил Михаил время, свободное от вашей с ним работы. Или вы сами имели с ним какие-то...

— Мы товарищи! — осадила детектива девушка. — Занимались одним делом. Я староста группы суицидников, но помогала Мише и во второй группе, нарков. Между ними ведь много общего, потому что в обоих случаях это уход от жизни... Мы с Мишей почти всегда работали вместе!

Алексею показалось, что Люба говорит неправду. Что ее чувства к Михаилу были куда более сильными, чем простое товарищество. Но пока он не видел причин вдаваться в этот вопрос.

— Стало быть, этот тарарам кто-то учинил до прихода полиции?

— Повторяю вам, это сделал сам Михаил! Чтобы навести на мысль об убийстве!

— Хм. А в его машине что?

— У Миши нет машины. Он не хотел время в пробках терять, пользовался городским транспортом. Или такси, если необходимость возникала.

Алексей обернулся к остальным:

— Вон диван, видите? Садитесь все туда. Люба, вы тоже.

Он пропустил вперед себя всю компанию, подождал, пока они разместились на трехместном диване из коричневой лакированной кожи.

— Пожалуйста, не двигайтесь и ничего не трогайте. Я сейчас.

Алексей наведался в соседнюю комнату — в квартире их имелось две. Эта была поменьше и явно служила спальней. В ней тоже царил беспорядок — тот, что бывает после обыска. Затем заглянул на кухню, в ванную. Однако никаких следов проживания в этой квартире женщины он не обнаружил. Ни крема, ни халатика. Похоже, Люба права.

Детектив вернулся в большую комнату и встал посредине, осматриваясь. Шкаф с книгами (почти целиком вываленными на пол), диван, компьютерный стол, — обеденного не наблюдалось, приемов Козырев явно не устраивал. На верхней полке рабочего стола несколько фотографий.

— Это Михаил? — Алексей указал на одну из них.

— Он.

Темноглазый брюнет; обаятельная, открытая улыбка человека, которого судьба баловала. На всех снимках он в компании разных людей. Одна фотография с родителями, судя по всему. Еще одна с какой-то женщиной, которую он обнимает за плечи. Остальные фото групповые.

— Кто это? — детектив взял в руки фотографию с женщиной.

— Не знаю. Я никогда не спрашивала. Я даже их не рассматривала.

— Чем Михаил зарабатывал на жизнь?

— За обе группы ему платили мало, практически все уходило на аренду помещения.

— Кто платил?

— Спонсоры.

...Значит, если Козырева все же убили, то придется убийцу искать еще среди спонсоров...

— На что же он жил?

— У него кабинет. Он ведет частные приемы как психолог.

— Но ведь он психиатр?

— Люди не идут к *психиатру*, иначе их будут считать сумасшедшими. Но к *психологу* они обращаются охотно. Мишу клиенты любили.

...Значит, если его все же убили, то придется убийцу искать еще среди клиентов...

Впрочем, это детектив машинально размышляет, инерция профессии. А Люба, — напомнил он себе в очередной раз, — отнюдь не просит его искать убийцу. Она просит доказать, что это самоубийство!

— Расскажите, Люба, что вы увидели здесь, когда приехали.

— Все было примерно так же, как сейчас.

— Полиция ничего не трогала, не меняла?

— По-моему, нет. Они только фотографировали и осторожно переступали через разбросанные вещи.

Значит, квартира в относительно первозданном виде, обрадовался сыщик.

— Что вы слышали? О чем они говорили?

Люба задумалась, вспоминая.

— Когда я приехала — а это почти час спустя после смерти Миши, — его тело уже увезли. И осмотр квартиры они уже заканчивали. Меня сразу предупредили, что попросят съездить в морг на опознание...

— А родителей вызвали?

— Не знаю. Мне не говорили.

— Странно, что за эти три дня они сами не попросили вас о встрече.

— Зачем им?

— Сын погиб, да еще при загадочных обстоятельствах. Мне кажется, что в такой ситуации было бы естественным желание поговорить с его ближайшими друзьями...

Люба безразлично пожала плечами.

— Вы в морг съездили? — вернулся к теме Алексей.

— Да, потом. И, знаете... это было... Миша упал лицом вниз, от него ничего не осталось... от лица. Но я его все равно узнала.

— Простите.

— А сначала они меня провели в квартиру... Спрашивали, у кого есть ключи... Потому что следов взлома не обнаружили. Я им ответила, что вряд ли стоит искать убийцу: Миша покончил с собой. Но они мне не поверили, как видите.

— А ключи у кого-то имелись, кроме вас?

— По моим сведениям, нет.

— Значит, Михаил сам открыл дверь убийце, потому что его знал! — подал реплику Игорь.

— Погоди, — обернулся к нему детектив. — Версии потом, сначала факты. Люба, продолжайте.

— Они попросили посмотреть, что пропало...

— А вы настолько хорошо знаете квартиру Михаила, что можете определить?

— То, что на виду, — да, хорошо. Я здесь часто бывала. Да и ребята из групп нередко приходили, Миша всем помогал, со всеми дружил. Он считал, что это залог их окончательного выздоровления.

М-да, похоже, у парня и впрямь не было личной жизни — иначе бы разве ходили сюда постоянно его питомцы?

— В беспорядке было трудно разобраться, да и ценностей никаких у Миши не имелось. Он считал, что вещи привязывают... связывают человека. И что не стоит ими обзаводиться, чтобы всегда была возможность **уйти налегке**, с одной дорожной сумкой.

— Это его выражение?

Люба кивнула.

— Но бытовая техника, мебель здесь хорошего качества, немалых денег стоит.

— Это комфорт. Человеку должно быть удобно и приятно жить в доме. Любовь к дому — часть любви к себе... это тоже Миша говорил. Позаботьтесь сначала о своем теле, потом об одежде, затем о доме, потому что он — род вашей одежды... Этого понимания не хватает ребятам, которые обращаются к нам... да и вообще многим людям. Но таких ценностей, которые можно унести — золото, дорогие безделушки, не знаю, — у него не водилось. Он не любил. В общем, я не заметила, чтобы что-то исчезло, — добавила она. — Красть у Миши нечего. *Он ушел налегке.*

— *...с одной дорожной сумкой...* — задумчиво повторил детектив. — Интересно, зачем тут чемодан?

— Где?

Детектив указал на кресло из черной кожи, рядом с которым, сливаясь с ним цветом, стоял довольно большой черный же чемодан, неприметный в царящем бардаке.

— Не знаю... Я его не видела!

Люба поднялась с дивана и двинулась в сторону чемодана, вытягивая шею, чтобы получше его рассмотреть, но Алексей ее остановил — опасался, что она сместит что-нибудь в окружающем беспорядке. Мало ли, вдруг в нем откроется какой-то смысл?

— Не видели — в прошлый раз?

— Может, не заметила... Как сейчас.

— Михаил куда-то собирался? Не налегке? — проговорил Игорь.

— Думаю, что чемодан появился здесь уже после ухода полиции. Иначе бы менты прихватили его с собой для изучения содержимого. Или хотя бы открыли.

— Но кто же мог сюда... — поразилась Люба.

— И дверь не опечатана, — не слушая ее, проговорил детектив. — Либо полицейские забыли, что маловероятно, либо печать кто-то снял... Любопытно, смотрите: на ручке ярлык компании «Эр Франс», аэропорт Шарль де Голль.

Алексей наклонился. Чемодан был закрыт на кодовый замок. На ярлыке аэропорта проштампована дата — сегодняшняя. Стало быть, надо ждать сюрпризов!

Что ж, прекрасно. Подождем.

В глазах присутствующих стоял невысказанный вопрос, но Алексей не хотел комментировать вслух свое открытие. Он посмотрел на ассистента.

— Давай думать, — повернул он разговор в другое русло. — Я играю за версию суицида, ты — за убийство. Поехали! Я начинаю: на теле нет следов насилия. Окно не разбито: его открыли.

— Да, оно было открыто, когда я пришла сюда в прошлый раз, — уточнила Люба.

— Вот. Дверь не взломана, — продолжил детектив.

— Убийца мог столкнуть Михаила, если тот находился в непосредственной близости от окна. Эффект неожиданности, достаточно несильного толчка. Окно уже было открыто к тому моменту самим хозяином: всю неделю стоит прекрасная погода. В квартиру он пустил убийцу сам: должно быть, знакомый. Или представился слесарем. Или сумел сделать втихаря копию с ключей. Замок у Козырева простенький, дверь не бронированная.

— Ноль-ноль. Люба, вопрос к вам: давали ли вы кому-нибудь ключ от квартиры Михаила?

— Нет.

— Следы обыска, — произнес Игорь. — Убийца искал что-то маленькое и хорошо спрятанное. То есть вещь была не на виду, отчего Люба не может знать о ней. Но тот, кто искал, — тот знал, что она у Козырева есть!

— Или Михаил сам разбросал вещи, чтобы навести на мысль об обыске. Точнее, о насильственной смерти. Мы знаем от Любы, что, желая уйти из жизни, он все же позаботился о своих родителях, об их религиозных чувствах.

— Ноль-ноль, — признал Игорь.

— Тебе не кажется, что в обыске проглядывает какая-то методичность?

— Не соображу...

— Смотри внимательно. Смотрите все. Что-нибудь кажется необычным?

— Мне — да, — произнесла Александра. — Если бы Михаил сам инсценировал обыск, то зачем бы он стал бить вазу, к примеру? Или высыпать на пол содержимое ящиков? Это не инсценировка, здесь явно что-то искали!

— Причем очень мелкое! — кивнул Игорь. — У меня вопрос к Любе. Вы сказали, что Михаил занимался группой трудных подростков-наркоманов...

— И потенциальных самоубийц, — добавила Люба и покраснела.

Детектив было насторожился ввиду ее румянца, но вовремя сообразил: Игорь шибко хорош собой, вот девушка и смутилась. Не стоит искать за этим двойное дно.

— Да, я помню... А сам Михаил наркотиками не баловался?

— Что вы, нет, конечно!

Люба покраснела еще отчаяннее, и на этот раз детектив насторожился всерьез. Он обменялся взглядами с Игорем, и ассистент едва заметно кивнул: мол, держу руку на пульсе.

— Излечиться от пристрастия к наркотикам нелегко... — снова заговорил Игорь. — Я знаю это не понаслышке, у меня близкий друг подсел на наркотики... Ломка — страшная вещь, хуже пытки. Михаил сочувствовал этим ребятам, правда ведь?

Люба осторожно кивнула, не понимая, куда клонит молодой человек.

— И он мог держать у себя дозу... На случай, если кому-то из них станет невмоготу?

— Не думаю... — еле слышно ответила девушка.

Краска отхлынула от ее лица. Теперь она казалась изможденной, несмотря на юный возраст. Игорь перевел победный взгляд на шефа.

— Один-ноль, — произнес он.

— Ладно. Сейчас отыграюсь. Люба, давайте представим такую сцену: кто-то из группы наркоманов пришел к Михаилу. Он своего подопечного впустил сам, что понятно. И вдруг этот подопечный стал требовать дозу, которую, как предположил мой ассистент, Михаил мог держать дома на всякий случай. Михаил согласился бы ее выдать страждущему?

— Я знаю наших ребят! Они все на стадии выздоровления, Миша других и не брал, он не лечил их от зависимости, он поддерживал их в стремлении завязать! Но даже если бы кто-то из них и сорвался, то не пришел бы к Мише. Ребята его боготворят. Вам этого не понять, боюсь... Но это так. Они бы нашли наркоту на стороне, как находили ее раньше!

— А если денег нет? Нечем платить... а у Михаила, они знают, парочка доз имеется на крайний случай...

Люба вдруг подобралась, будто для броска.

— Во-первых, ваше предположение, что Миша мог держать дома дозу, — это абсурд! — сверкнула она глазами в сторону Игоря. — Он ведь лечил их от наркозависимости! И не стал бы потакать их слабостям, потому что учил их быть сильными! Во-вторых, он бы никогда не уступил «требованию», как вы выразились!

Кажется, цвет лица Любы зависел не от симпатичного Игоря, а от подозрений в адрес Козырева, которые были для нее нестерпимы...

— Поэтому человек и столкнул его в окошко, — невозмутимо парировал Игорь. — А потом перевернул квартиру вверх дном в поисках той самой дозы!

— Но на теле Миши не обнаружили следов борьбы! А он бы сопротивлялся, если б на него напали!

— Один-один, — сообщил детектив.

— *Пока*, — возразил Игорь. — Пока следы не обнаружили, но синяки могут проступить и позже...

— Так и у нас *пока* лишь гипотезы... — откликнулся Алексей. — По теме факта обыска объявляю ничью. Переходим к цели обыска. Ты предположил, что искали дозу. Я, как договорились, выставляю версию, что ничего никто не искал, а обыск — это инсценировка самого Михаила. Почему он вазу разбил и ящики вывернул? Потому что перестарался! Не знал же он, в самом деле, как делается обыск, верно? Вот и решил изобразить его поубедительнее.

— Ну... допустим, — вынужден был признать подобную вероятность Игорь.

— Другие идеи есть?

— Если что-то и впрямь искали, то совсем маленькую вещь, — произнесла Александра, кивнув на компьютерный стол.

Три ящика, находившиеся в тумбочке слева от него, были выдернуты и перевернуты, как и остальные. Бумажки, канцелярская мелочь разлетелись в разные стороны. Алексей наклонился: чеки из магазинов, дисконтные карточки, визитки, клочки бумаги с чьими-то телефонами...

— Саша права, — сообщил он, распрямляясь. — Каждая бумажка лежит отдельно: их все пересмотрели, перебрали.

— Пакетик с наркотой как раз и есть маленькая вещь! — не сдавался Игорь.

— Записка, ювелирное украшение, ценная монета или марка, флешка, в конце концов, — это все тоже маленькое! — парировала Александра.

— А зачем такой тарарам устраивать, если искали флешку? Хватило бы и компьютерного стола! Все нормальные люди их возле компа держат! — не соглашался Игорь. — Шеф, а в другой комнате как?

— Так же. Народ, всё, мы игру в разные версии закончили. Давайте посмотрим, что у Михаила в компьютере интересного имеется... Люба, вы не в курсе?

— Я никогда за ним не работала. Но...

— Но?

— Миша вел аудиодневник. То есть не дневник, а... В общем, записывал на компьютерный магнитофон свои мысли. Я знаю, потому что он мне давал некоторые послушать...

— О чем там говорилось?

— Ничего такого, что может иметь отношение к его смерти... Миша описывал свое восприятие людей. Он считал, что люди постоянно играют роли... И нередко заигрываются. Он думал, что в этом ключ к разгадке стремления к самоубийству: люди входят в роль жертвы, а потом роль входит в них. И убивает.

— Роль входит в человека... Любопытно. Но ведь, по вашим словам, он и сам стремился к суициду. Значит ли это, что он тоже играл роль? И осознавал сей факт?

— Нет! Миша... Вам трудно понять... Это просто ангел, залетевший на Землю... Ему ничего не было нужно от людей. Он просто отдавал им себя, свою душу, добро, тепло, ничего не желая взамен! И он просто... Он устал. И ушел.

Слезы скопились в уголках ее глаз.

Но Алексей в ангелов, спустившихся на Землю, не верил.

Звук открываемой двери заставил всех замолчать. Прихожая была видна из большой комнаты, и в ней вспыхнул свет. Девушка с большим пакетом из супермаркета в руках застыла, увидев группу людей, в глазах ее появился страх.

— Кто вы? — крикнула она, отступая к входной двери. — Как вы сюда попали?!

Черные бриджи, белая рубашка с неброской вышивкой — лето в Париже еще не закончилось. Светло-каштановые волосы собраны на затылке, но выбиваются прядями то там, то сям, — «художественный беспорядок», он ей идет. Глаза карие, полукружьем, так дети рисуют заходящее солнце, со стрелами лучей-ресниц; темные бархатистые бровки домиком, отчего взгляд ее кажется немного удивленным, наивным. При этом нездоровый цвет лица — кожа бледная, даже землистая, — отметила Александра, как если бы девушка провела бессонные ночи или болела... Или страдала.

— Не волнуйтесь, пожалуйста, — Алексей шагнул в ее направлении. — Мы...

— Стойте на месте! — Она бросила пакет на пол, в нем что-то тяжелое грохнуло, и схватилась за ручку двери, готовая убежать.

— Я детектив, частный, — проговорил Алексей, разведя руки немного в стороны, чтобы девушка могла убедиться, что он не вооружен, что не бандит. — Это моя жена... — Алексей жестом подозвал Александру: присутствие женщины обычно успокаивает.

Александра подошла поближе и улыбнулась незнакомке.

— Это мой ассистент, — продолжал детектив, указывая на Игоря, — и... и Люба.

— Что вы здесь делаете?!

— А вы? — любезно поинтересовался Алексей.

— Я... Мне в полиции дали ключи от квартиры Миши... Я его сестра.

— Какая еще сестра? — тихо воскликнула Люба, посмотрев на детектива. — У Миши не было... Он никогда не говорил мне о сестре!

Алексей тронул ее за руку и шепнул: «Разберемся. Потом». А сам подумал, что уже видел эту девушку: на фотографии, где Михаил ее обнимал.

— И зовут вас?..

— Катерина. Катя.

— Раз вы только из полиции, то вам известно, что случилось... Наши соболезнования, Катя. А мы здесь, чтобы разобраться в причинах смерти Михаила. Извините нас за вторжение, мы не знали, что вы приехали из... из Парижа, как я понимаю.

— Сегодня утром прилетела... Поставила чемодан и пошла в магазин за продуктами, — хотела поесть, прежде чем взяться за уборку... А тут — сюрприз, — хмуро посмотрела она на незваных гостей. — Почему вы пытаетесь «разобраться в причинах», если делом занимается полиция? Они уже знают, кто убил моего брата! Мне сказали, что его арест — это вопрос двух-трех дней, как только закончат сбор всех улик!

— И кто же это? — с вызовом спросила Люба.

— Не помню его имя. Кто-то из сумасшедших, которыми занимался Миша.

— Олег не сумасшедший! Он отличный парень! И не убивал Михаила! — воскликнула Люба.

— А вам откуда известно? — прищурилась Катя.

— Вы проголодались с дороги... — встал между ними Игорь с одной из тех своих коронных улыбок, от которых у девушек обычно подгибались коленки. — Вы поешьте, Катя, мы не будем вам мешать. Только еще немного посмотрим и уйдем. А хотите, я вам чай приготовлю?

— Я не знаю, где тут у брата чайник...

— Я вам покажу, — хмуро откликнулась Люба и прошла на кухню. Все потянулись за ней, чувствуя себя довольно неловко. — Вон, возле микроволновки, электрический.

— А вы здесь часто с Мишей... у брата часто бывали? — Катя посмотрела на Любу.

— Часто.

— Вы с моим братом... У вас с ним... — нелюбезный вид Любы сбивал ее с толку.

По всей видимости, подумала Александра, Кате сейчас хотелось найти человека, близкого брату. Если б Люба оказалась его девушкой, она наверняка обняла бы ее и плакала с ней вместе.

— Я староста группы самоубийц. По группе наркоманов тоже помогала, — сухо ответила та.

Игорь быстро сориентировался, наполнил чайник водой и включил его. Катя принялась разбирать свой пакет с покупками, растерянно и расстроенно поглядывая на присутствующих.

— Может, чай все хотят? — спросила она не слишком приветливо.

— Не думаю, что вы планировали угощать такую ораву, — улыбнулась ей Александра.

— К тому же мы не голодны, — поддакнул Алексей.

— А я и не предлагала вас кормить, — пожала плечами Катя. — Я чаю предложила. Баранками еще поделиться могу.

— А давайте, правда, выпьем чаю вместе? — воскликнул Игорь, поглядывая на шефа. — Заодно и поговорим!

Ну да, за чайком разговор резвее идет, старое правило, оценил Кисанов.

Как выяснилось в ходе вполне непринужденной беседы, Катя получила грант на летнюю школу в Академии изящных искусств в Париже и отсутствовала в России уже два месяца. Живет она в Петербурге, с братом видится редко. Полиция и не подумала разыскать ее за границей, и Катя бы даже не узнала о смерти брата, если бы не...

У Кати покраснели глаза, и она запнулась.

— Вам сообщили родители? — участливо спросила Александра. — Они прилетели из Новосибирска?

— Нет, наши родители умерли. Давно уже. А жили они в Питере, петербуржцы в шестом колене. Где, собственно, и мы с Мишей родились... Откуда взялся Новосибирск?

Люба почти уронила чашку. Та звонко стукнулась о блюдце.

— Ваши родители... *умерли*?

— Одиннадцать лет назад. Автокатастрофа. А теперь вот... и Миша...

Катя опустила голову, пряча слезы. Александра молча приобняла девушку.

— Но позвольте... Не может такого быть! — Люба вскочила. — Миша говорил, что не имеет права покончить с собой, потому что родители у него верующие и не простят ему такого жеста!

— *Покончить с собой?* — раскрыла глаза Катя. — Вы о чем? Миша хотел... покончить?.. Не может этого быть! Он любил жизнь! Он веселый, добрый, всем помогал! Он не мог!!!

Люба рухнула на стул, прикрыла лицо руками.

— Это неправда, — глухо бормотала она под прикрытием своих ладоней, — этого не может быть! Вы его просто не знали, брата своего!!! Да и вообще, брат ли он вам?!

— О чем она? — Катя вскинула глаза на остальных.

— Минуточку, — встал Алексей.

Глазами он показал Александре: выйдем.

Оказавшись за пределами кухни, он приобнял Сашу, приблизив губы к ее уху.

— Тут нестыковка...

— Да уж.

— Скажи свое мнение: их развести и поговорить по отдельности? Или дожимать каждую в присутствии остальных? Ведь нестыковка означает ложь. Чья?

— Я за публичную экзекуцию, — усмехнулась Александра. — Одной из них лгать будет труднее, а мы все сумеем за ними понаблюдать. Хотя есть вариант, что не лжет никто из них. А ложь выдал Михаил.

Детектив благодарно чмокнул жену в щеку: ее чутье не раз служило ему ориентиром в сложных делах. Перед тем как вернуться на кухню, он зашел в большую комнату и взял фотографию Кати.

— Простите великодушно, — Алексей с оживленным видом уселся на свое место. — Ситуация возникла странная, все согласны, а? Информация не стыкуется, стало быть, какая-то из них неверна. Давайте начнем с простого: это вы на фото, Катя?

— А что, не видно?

— Люба, вы эту фотографию не раз видели у Михаила, верно?

— Я не рассматривала, — буркнула та.

— Да? А она часто рассматривала вас.

— Это как?

— Шутка. Вы не могли ее не видеть. И теперь перед вами оригинал.

— А почему я должна верить, что она сестра?!

— Ключи...

— У меня тоже есть ключи, — перебила его Люба, — я же не говорю, что сестра!

— Мне в полиции дали! А вам?

— Позвольте посмотреть ваши паспорта, девушки, — вмешался детектив.

Катя протянула свой паспорт первой. Фамилия — Козырева, как и у Михаила. Прописка в Петербурге.

— Вы не меняли фамилию? Вы не замужем?

— Дважды нет.

Паспорт Любы. Она действительно Любовь, что уже неплохо. Любовь Коржик, прописана в Москве, в Кунцево. Ладно, посмотрим, как дальше дело пойдет. В случае надобности пробьем по базе данных, — решил Алексей.

— Теперь, милые девушки, будете говорить по очереди. Сначала вопросы к Кате. Первый:

вы находились в Париже. А постоянное место жительства — Петербург. Вы с братом общались все это время? И если да, то как?

— Довольно регулярно, по скайпу... Хотя не очень часто, если честно. Миша давно уехал в Москву. И так был занят своими подопечными, что на меня времени не оставалось.

— У вас это вызывает горечь? Или, может, ярость? — детектив привычно прощупывал почву. Мало ли, вдруг девица прилетела тайком, брата убила и обратно в Париж умотала.

Катя качнула головой, удивляясь вопросам.

— Да нет, вовсе нет. Я сама уговаривала его оставить меня в покое... С тех пор как погибли наши родители, он меня опекал, пока я еще была подростком. Но в семнадцать лет я с ним крупно поссорилась: заявила, что я уже большая, что у меня своя жизнь...

— Брат смирился?

— Мы ссорились целый год. Он дождался моего совершеннолетия и уехал в Москву, оставив меня под присмотром нашей двоюродной тети, — та была рада, она одинокая женщина. Перед его отъездом мы помирились. Мы долго говорили... Тетка тоже участвовала в беседе, причем на моей стороне. И Миша сдался. Оставил меня в покое. «У каждого свой путь, — сказал он. — Выбирается этот путь интуитивно, хотя не всегда верно: ведь интуиция не научная дисциплина, результат не просчитать... Я просто надеюсь, Кать, что твоя тебя не подвела. Тетя Вера, вы с ней построже, ладно? Она совсем еще ребенок, хоть и упрямый!»

Тетя Вера обещала, Миша уехал в Москву и стал заниматься психиатрией. Это его специальность. Я, мои дела, моя жизнь потихоньку выбыли из сферы его внимания: Миша помогал *неблагополучным*, а я была благополучная... Но мы всегда очень любили друг друга. Даже когда стали редко общаться. Любовь ведь не от частоты общения зависит... если вы меня понимаете.

— Да, конечно, — поддержала девушку Александра. — Частота общения важна для влюбленных, — это такой вид любви, который требует физиологического контакта: видеть, слышать, обонять, осязать... Но любовь другого рода — к родным, к друзьям — действительно не зависит от частоты встреч, в этом я с вами согласна.

Катя подняла на нее глаза.

— Смешно, правда? Все называется одним и тем же словом... А чувства совсем разные! Почему так беден наш словарь?

— Если это может вас утешить, Катя, в данном плане словарь беден не только в русском. Вы, наверное, знаете: во французском существует тридцать с лишним синонимов, включая арго, для обозначения полового акта. Но к слову «любить» синонимов нет. Точнее, есть, но уже с другим смыслом: обожать, нравиться... Можно сказать «люблю фуа-гра», можно сказать «люблю маму», можно сказать «люблю тебя». Так же обстоит дело в английском, итальянском, испанском, немецком... Люба, вам Миша не говорил о том, что у него есть сестра, мы правильно вас поняли? И вы не знали, кто девушка на этой фотографии?

— Правильно, — процедила Люба. — Я не спрашивала.

По всей видимости, она чувствовала себя обманутой, а подобное никогда не радует.

— При этом он рассказывал вам о родителях, которые не простят ему суицида...

— Именно так, — зло щурила глаза Люба, разглядывая Катю, как лютого врага.

— Я, мы все вам верим. Однако выходит, что Миша сказал неправду вам, Люба, — продолжила Александра.

— А если она самозванка? Просто однофамилица? Козырев — фамилия распространенная!

— Да наберите тетю Веру! — рассердилась Катя. — Вот ее номер... — Она пощелкала своим мобильным. — Вот он, набирайте! Спросите ее, кто кем кому приходится в нашей семье! *Самозванка*! Надо же такое выдумать! Может, вы сами — самозванка?!

— Насчет меня, — запальчиво проговорила Люба, — вот вам три десятка номеров, по которым вам подтвердят, что я была правой рукой Миши! Что мы с ним часто советовались, вместе искали пути, как достучаться до ребят... И находили! И спасали! Вы тут, со своими художествами, что вы знали о брате?! Как ему живется, чем он мучается?! Да ничего вы не знали! Свои худосочные проблемки ему, небось, сливали, он же сильный, он утешит, погладит по головке, утрет слезки... А знали ли вы, сестра, как растрачивал себя Миша на потерянных людей? Как он отдавал им свою энергию, добро, тепло? Скольких людей, стоящих на грани смерти — **смерти**, слышите! — он спас?! И меня в их числе!!! — В ее голосе звенели злые слезы.

Зависла тишина.

Первой пришла в себя Катя.

— Пожалуйста, извините... Но покиньте квартиру. Мне и без вас тяжело. Уходите. Все.

Люба с готовностью вскочила и направилась к дверям.

— Катя, будьте снисходительны... — проговорила Александра. — Люба потеряла очень близкого друга... Может, единственного.

— А я потеряла единственного брата! Кто больше? Посоревнуемся в размерах скорби, а?!

Александра переглянулась с мужем. Девушки сорвались, и вряд ли сейчас удастся узнать у них что-то существенное...

— Пойду догоню Любу, — шепнула она. — Ей сейчас нужна поддержка, мне кажется.

— Сестре тоже.

— Но нас выставили за дверь, если ты не забыл...

Александра ушла. Вслед за ней и детектив с ассистентом покинули квартиру. Если у Алексея еще и оставались вопросы, то сейчас явно не время их задавать.

Вернулись они на Смоленку вдвоем с Игорем — строптивая Люба убыла куда-то восвояси, Александра вслед за ней — и расположились в кабинете Алексея.

— Кис, я вот что думаю... — начал Игорь.

«Кис» — детских еще времен кликуха, смешная, «прикольная», она прочно прицепилась к Алексею и передавалась по эстафете от старых друзей к новым. Так и к Игорю попала, а тот с удовольствием подхватил, с благосклонного позволения шефа. Право называть шефа по кликухе было чем-то сродни погонам: до этого надо было дослужиться. И Игорь дослужился.

— ...думаю, что Михаил намеренно ввел в заблуждение Любу.

— Зачем?

— Да это же ясно, он вовсе не собирался покончить с собой! Но говорил об этом своим подопечным, типа к народу поближе быть... «Мы одной крови» — это помогает. Никто в ответ не скажет: ты нас не понимаешь, потому что никогда не был на нашем месте! Потому Михаил выдумал благочестивых верующих родителей для поддержания своей э-э-э... легенды.

— А почему он не рассказывал о сестре, на твой взгляд?

— Это разрушало его образ, образ человека, жаждущего уйти из жизни. Одинокого и только ради веры родителей не решающегося на последний шаг.

— Да, пожалуй. Утром Саша мне рассказывала: прочитав блог Михаила, она усомнилась в его искренности. Написала ему, что он позер, что играет роль...

— И что?

— Он ей объяснил, что блог этот служил ему для работы. Представившись самоубийцей, Михаил собирал все аргументы, которые только могли дать ему люди. Для того, чтобы использовать их в своей работе с суицидниками!

— Надо же, признался едва знакомой журналистке, а Любе врал.

— Саша — посторонний ему человек. А Люба — староста группы. Михаил выдерживал единство своей версии. И не настолько ей доверял, чтобы рассказать правду.

— Так мы теперь свободны, Кис? Люба получила ответ на свой вопрос. Хоть и явно рассчитывала, что он будет иным... Но нет у Козырева верующих родителей, что полностью меняет картину. Придется ей смириться с версией убийства.

— В принципе, да... Но мне, если честно, стало любопытно, что же случилось с этим Михаилом на самом деле.

— Как твой ассистент и по совместительству главбух, я должен тебе грубо намекнуть, что с начала месяца ты заработал всего...

— Знаю я, сколько заработал! — буркнул Алексей. — Но был всего лишь один клиент. Начало сентября, люди возвращаются из отпусков, и волнуют их сейчас только школьные дела отпрысков. К концу месяца жизнь войдет в обычное русло и обязательно появятся новые клиенты. А пока я свободен! Могу себе позволить поломать голову в свое удовольствие.

— Но если появится клиент — настоящий, который платит, — ты тогда бросишь это дело?

— Тогда будет видно, — уклончиво ответил детектив, пряча улыбку: Игорь в роли «главбуха» его забавлял. — А пока ты со мной? Или тебя отпустить?

— Ну, я тоже хочу поиграть в головоломку.

— Тогда пошли на кухню. Сварганим кофейку, ударим по бутербродику и обсудим мизансцену.

Алексей сделал две чашки эспрессо, Игорь соорудил два бутерброда — черный хлеб, смазанный оливковым маслом, и холодная телятина, запеченная с чесноком (Игорь же и запек, поваром он был отменным), и мужчины уселись за столик.

— Итак, мизансцена. Она состоит из двух частей: обыск и падение из окна. Важно понять, что было сначала. Обыск вряд ли производился в присутствии Михаила: он бы мешал, его бы связали, если не хотели убивать, или убили бы сразу.

— Значит, его сначала выбросили в окошко, а потом занялись обыском.

— Сомневаюсь. Падение тела привлекло к себе внимание, соседи сразу поняли, к какой квартире относится окно. Люди могли туда кинуться, не дожидаясь полиции, а в такой ситуации тщательно перебирать и рассматривать вещи затруднительно. Думаю, кто-то проник к Михаилу в его отсутствие, но хозяин неожиданно вернулся и застал разгром. Попытка объясниться с незваным гостем закончилась для него трагически...

— Между прочим, у Любы есть ключи! Дверь не взломана! А толкнуть в окно — для этого не так уж много физической силы нужно. Если человек не ожидает подвоха, то легко потеряет равновесие!

— И она пришла просить у нас помощи?

— Просила-то она доказать, что это **суицид**!

— Не думаю, Игорь. Очень рискованно с ее стороны. Мы ведь можем, вопреки ее ожиданиям, доказать, что это убийство. К тому же у полиции есть подозреваемый. Если она убила Мишу, то почему бы ей не сидеть тихо, предоставив полиции делать свое дело?

— Ладно, ты прав. А жаль, так стройненько складывается!

— Мы еще не знаем, каким образом Михаил выпал. Толкнули? Сам потерял равновесие? Был ли он навеселе? Я найду подходы к судмедэксперту района, узнаю детали. Кроме того, надо познакомиться с подопечными Козырева, — твоя идея с дозой вполне правдоподобна, хоть Люба ее категорически отрицает... Давай посмотрим на них поближе. Возможно, у полиции все же есть основания подозревать их? Ну и компьютер Михаила. Как только Катя позволит, мы должны вернуться в квартиру и изучить его файлы.

Есть расхотелось, но Катя все еще сидела за столиком на кухне, бездумно отправляя в рот крошки от сломанной баранки, хотя три ее обломка лежали тут же, на блюдце. Чай в чашке постепенно остывал, подергиваясь пленкой.

Вот так, теперь совсем одна... И надо же, чтоб так совпало: разрыв с Арно и сообщение о смерти брата в один день... Еще совсем недавно ей казалось, что в ее жизнь пришло новое счастье, — мощный и яркий поворот в судьбе, в душе. Она верила, что Арно подарил ей себя, что этот человек стал родным. Рано потеряв родителей, Катя мечтала о большой счастливой семье, чтоб не меньше трех детей, лучше четырех, чтобы у нее и у всех них стало много *родных*! А судьба взяла и отняла последних... Ладно бы только Арно, как бы Катя ни страдала от разрыва, она понимала, что любовь его оказалась иллюзией, что все равно не суждено. Но брата-то за какие грехи у нее отняли? Сначала папу с мамой, а теперь и Мишу?! Чем она перед богами провинилась, что с ней так жестоко обошлись?! Одна, одна на всей планете, — знаете ли вы, боги, как это страшно? Как непосильно абсолютное одиночество?

Она вздрогнула от этих мыслей. А может, от холода. Хватит, надо прекратить растравлять раны. Мама с детства ей говорила: «Боль подобна ребенку. Будешь ее лелеять — она вырастет».

Катя заставила себя встать, но на некоторое время замерла у кухонного столика, не понимая, что ей делать. И надо ли что-то делать...

Да надо, вообще-то. Прибрать квартиру, к примеру.

Она вошла в большую комнату, постояла посреди хаоса, пытаясь прикинуть, с чего начать... И направилась в спальню. Легла на кровать брата, натянула одеяло до ушей.

Оно пахло Мишей. Детством. Счастьем.

Скомкав одеяло, Катя прижала его к лицу, вдыхая запах, и завыла, как брошенная собака.

Александра догнала Любу уже на улице и молча зашагала с нею рядом в сторону метро. Девушка пару раз косилась на свою нежданную спутницу, но ничего не сказала.

Наконец, уже у входа в подземку, Люба развернулась, встав к Александре лицом.

— Вы этой Кате верите?

— А как же иначе, Люба? Полиция не дала бы ключи постороннему человеку, они наверняка по своей базе данных проверили.

— Выходит, Миша меня обманывал?! Я не могу в это поверить, понимаете, не могу!

Александра помолчала, затем приобняла Любу.

— А пойдемте в кафе? Посидим, поговорим... Я приглашаю.

Они доехали до Тверской, а там, на Пушкинской площади, зашли в первое попавшееся заведение по левую сторону от кинотеатра. Сделали заказ.

— Как вы оказались в группе у Михаила? — спросила Александра, понимая, что девушке необходимо выговориться, и лучше всего начать ab ovo, то есть с самого начала.

Люба вскинула на нее несчастные глаза и, потерзав салфетку, принялась рассказывать.

...Любе повезло в одном, зато по-крупному: ее мать, Анна Семеновна, работала нянечкой в детском саду, отстроенном посреди приличных кооперативных домов. В микрорайоне уже планировалась точечная застройка новых башен бизнес-класса, что неизбежно повысило бы его рейтинг. Заведующая детским садом была дамой дальновидной, с врожденной деловой жилкой, и репутацию своего заведения не только берегла, но и всячески старалась приумножить ввиду грядущего спроса состоятельных родителей. Посему требования ее к персоналу были высокими; она не пошла на поводу у времени, в которое детские сады закрывались, а в оставшиеся брали кого ни попадя.

Анна Семеновна была трудягой, работала быстро и чисто, что заведующая высоко ценила: найти хороший технический персонал крайне трудно. И дочку ее (от неизвестного отца) взяла в садик бесплатно, чуть только девочка научилась ходить. Не положено по правилам, зато Анна Семеновна могла спокойно работать, нередко на две группы, случалось, и на три — текучка нянечек была высокой. Недоношенный и рахитичный ребенок, Люба никогда бы не получила такого питания и ухода, как там. И, скорее всего, попросту не выжила бы: мать работала много, а зарабатывала мало, и не смогла б обеспечить ребенку надлежащий уход.

Однако у этого везения вскоре обнаружилась другая сторона медали: дети усвоили, что Люба слабенькая и... бедная. Да, эти дети из первых дорогих новостроек уже в три-четыре года отлично осознавали имущественное неравенство и уже, подражая родителям, презирали тех, у кого нет модных вещиц и игрушек.

Наверное, к ней точно так же отнеслись бы и в районном детсадике, а может, даже хуже, потому что в этом, элитном, у детей были лучшие воспитатели и худо-бедно прививались хорошие манеры, тогда как в районном такого ребенка не только презирали бы, но еще и били. Однако Люба была уверена, что дело в имущественном неравенстве, и с детства ненавидела богатых.

Эту классовую ненависть она носила в своем сердце всю раннюю юность, умело пряча ее, — защитная реакция слабых и отверженных. В школе ее не любили. «Тощая, некрасивая, замкнутая — портрет не нуждается в комментариях, а?» — криво усмехнулась Люба.

Тяжелая работа... да что там «тяжелая» — попросту на износ! — постепенно подкашивала здоровье Анны Семеновны. Боль в пояснице, в коленях, то не согнешься, то не ступишь. А физический труд снисхождения не знал.

«Надо тебе, доча, начинать подрабатывать самой. Я уже не могу, как раньше...»

И Люба стала иногда подменять мать у частных клиентов, к которым Анна Семеновна ходила убирать несколько раз в неделю после работы в детском саду. За последние годы штат нянечек стал укомплектован, ей больше не приходилось работать в нескольких группах, время высвободилось, и Анна Семеновна принялась подрабатывать в частном порядке.

Любе было стыдно и неловко заниматься грязной работой — мать-то давно привыкла, для нее это стало нормой, чужую грязь подтирать, — а Любе претило. Да и время такое пошло, что девицы больше собой занимались, модными шмотками и прибамбасами, и все на родительские деньги...

Но не хватало Любе родительских денег. Тем более что мать уже не могла, как раньше, по двенадцать часов в день вкалывать.

В общем, не хотелось, да пришлось. Навыки-то у нее были, — в вечное материнское отсутствие дом вела она и тоже оказалась чистюлей, как мать, делала все быстро и ловко. В первой семье к ней отнеслись приветливо, без снобизма, что Любу немного приободрило. Постепенно она переняла всех частных клиентов матери, и, несмотря на осадок, который вызывала в ее душе черная работа, и откровенно хамское отношение некоторых нанимателей, она немножко воспрянула духом: деньги шли, клиенты ею дорожили, даже чуть прибавили жалованье. А потом стали ее рекомендовать друзьям. Время на учебу у Любы резко уменьшилось, зато доходы увеличились. Возможность купить вещи, которые раньше ей были не по карману, в изрядной степени компенсировала ее душевный дискомфорт.

И однажды случилось с Любой чудо. Сказка случилась.

Появилась новая клиентка, наслышанная о замечательной домработнице.

«Приходите сразу после уроков, ладно? Пока мужа нет дома. А то он не любит, чтобы у него под ногами крутились».

Мило. Словно Люба — волчок неодушевленный! Но делать нечего. Сжав зубы, Люба пообещала. И пришла на следующий же день, сразу после школы.

«Нина?!»

От изумления и неловкости у Любы слезы выступили на глазах. В дверях стояла первая красавица ее класса, предмет обожания всех мальчишек и учителей, Ниночка. Как выяснилось потом, это ее мать наняла Любу...

Первым порывом было — сбежать. Но поздно: Ниночка уже поняла, кто и зачем к ним в дом пришел, и улыбалась во весь свой большой яркий рот.

«Мама, наша новая домработница! Иди сюда!»

Люба гордо вскинула голову и вошла в квартиру. Она ожидала самого худшего — презрения, насмешек и, что страшнее, назавтра издевательства всего класса.

Однако Ниночка никому не растрепала. Более того, она три часа, что длилась уборка, ходила за Любой, восхищаясь тем, как ловко она все делает. А после предложила чаю. И Люба, которая не только не смела надеяться на внимание Ниночки, а даже и смотреть на нее не смела, — Люба вдруг почувствовала себя уютно на их большой кухне. Ниночка участливо расспрашивала Любу, отчего ей, бедняжке, приходится такой тяжелой работой зарабатывать на жизнь, а на следующий день неожиданно взяла ее под свою опеку. Пожалела, видимо, добрая душа. Или просто захотела приручить эту маленькую недобрую собачонку? Ниночка слишком привыкла, что все ее обожают, и Любино молчаливое осуждение (автоматом по отношению ко всем «богатым») вызывало у нее недоумение и чувство дискомфорта.

Этого уже никто не узнает, потому что Ниночка через полгода после окончания школы умерла от передозировки кокаина. Но до этого успела подсадить на наркотики Любу, которую таскала с собой во все элитные клубы.

Денег на кокаин у Любы не было — уборкой квартир на столь дорогое «развлечение» не заработать, а щедрой Ниночки, всюду платившей за подружку, не стало. Она перешла на более дешевый «крокодил» (так в народе называют дезоморфин, кустарно приготовленный опиат), но и на него деньги требовались немалые. И принялась Люба, как водится, красть. Милиция, побои, скандалы с матерью...

Но настал день, когда Люба поняла: так дальше жить нельзя, надо завязывать. Денег на лечение у них не было, и Люба попросила мать запереть ее в квартире на неделю. Они даже новый замок купили, такой, который открывается изнутри только ключом, а ключ мать уносила с собой... Четыре дня Анна Семеновна стойко выносила дикие крики и даже драки за ключ — к счастью для нее, дочь в состоянии ломки не могла причинить ей вреда, — а на пятый Люба перерезала себе вены.

После этого началась другая сказка, а принцем в ней стал Михаил Козырев. О нем от кого-то услышала Анна Семеновна: есть такой психиатр, который бесплатно помогает наркоманам, точнее, бывшим, которые уже завязали, — чтобы вновь не сорвались. Но Анна Семеновна сочла, что Любу можно причислить к этой категории: с учетом больницы, куда дочь попала после попытки суицида, уже выходило три недели, как она не употребляла наркоту.

Миша в первый же день, в первое же мгновение отнесся к ней, как к другу. От него исходила неимоверная доброжелательность — настоящая, не наигранная, Люба чувствовала это всем своим бедным сердцем, истосковавшимся по человеческому теплу. Вскоре группа стала ее домом, а Миша — ее богом. Все свободное время она стала проводить с ним, помогая, как и чем могла. Очень быстро ее энтузиазм был оценен по достоинству, и Козырев приблизил Любу к себе, сделав ее старостой группы самоубийц и своей помощницей...

Миша, Миша, Миша — это имя звучало в каждом предложении девушки. Миша добрый, Миша ей многое давал, Миша много сделал для нее... В общем, Миша — это рог изобилия, только не материального, а душевного. Понятно, что Люба так привязалась к нему...

Присосалась, вдруг подумала Александра. Род вампиризма. Поэтому для нее так страшна потеря Миши — потеря донора, бесконечно щедрого.

— А тут является эта *сестра*, — с презрением выговорила Люба, — и заявляет, что Миша мне лгал! Но он не мог, понимаете?! Не мог мне лгать! Я ведь только им дышала!

Она заплакала, уронив голову на сложенные на столе руки. Александра молчала — не знала, что сказать.

Люба, наконец, утерла слезы. Подняла лицо, взглянула на Александру. Та все еще мучилась в поисках уместного слова утешения...

— Мне не нравится, как вы на меня смотрите! — неожиданно выпалила девушка.

Александра опешила. Любу она жалела, хотя симпатии к ней не испытывала. За что даже мысленно упрекнула себя: ведь девушка не виновата, что такой нескладехой уродилась... Но эта фраза Любы мгновенно рассеяла угрызения совести. Хорошее отношение к себе надо заслужить, а не требовать его от окружающих! Помог ли ей Михаил Козырев, это еще вопрос, а вот разбаловал ее точно.

— А **должно** нравиться? — холодно спросила она.

— Вы о чем? — хмуро поинтересовалась Люба.

— О моем взгляде. Вы считаете, что он **должен** быть таким, чтобы вам понравиться? Я **должна** вам угодить, с вашей точки зрения?

— Нет... Не знаю... Но мне не нравится ваше сочувствие!

— Что, «жалость унижает»? Или вам именно **мое** сочувствие неприятно?

— Ваше! Я знаю таких, посочувствовали и забыли!

Ну, не прелесть ли?

— А как надо, Люба? Посочувствовать и?..

— Миша имел право на жалость, потому что он мне, нам всем помогал! А вы — вы просто смотрите! И думаете: вот бедняжка...

— Это плохо? Или вы не «бедняжка»? И мое сочувствие растрачено впустую?

— Впустую, потому что таким взглядом люди смотрят и проходят мимо! Оно показное, ваше сочувствие!

— А почему вы считаете, что все должны вам помогать? Должна вам была только ваша мать — потому что на нашей планете так сложилось, что детенышей растят их родители. Иначе они не выживают. У остальных нет никаких обязательств перед вами. Только вопрос их доброй воли.

— Вам хорошо говорить! Красивая, богатая, все тип-топ. Муженек, детки. А у меня? Посмотрите на меня, кому я нужна?

— Но это не моя вина, Люба. Да, не повезло, вы родились не с самой выгодной внешностью...

— «*Не с самой выгодной*»! Какой эфе... эфме... эвфемизм!

— А главное, что мешает вам быть кому-то нужной, — это скверный характер. Вы завистливы и агрессивны. Неужели Михаил вам никогда этого не говорил? Вы **требуете** того, что люди согласны отдавать только по своей доброй воле. И потому никогда не получите.

— Миша давал, потому что он добрый. А вы — вы холодная эгоистка!

Приехали. Без сомнения, Михаил слишком много с ней нянчился. Успокоил, «накормил» ее комплексы, но не избавил от них. И теперь она подсознательно ждала, надеялась, что придет новый «кормитель»? Впрочем, Михаил вытащил ее из наркотиков, что уже невероятно много. И от новых суицидальных попыток спас.

Хотя... Люба перерезала себе вены дома, — знала, небось, что мать придет и спасет ее? Спектакль был для родительницы поставлен: вот, смотри, как ты со мной жестоко поступила!

Стоп, сказала себе Саша. Я не имею права так думать. Ведь все могло быть иначе... Затуманенный мозг вряд ли бы справился с расчетом. И, в конце концов, попытка суицида — пусть даже в расчете на спасение — это всегда крик о помощи! Нельзя Любу за это осуждать...

Но она осуждала. Ничего не могла с собой поделать. Да еще этот ее выпад... Ишь ты, все ей должны! С какой стати?!

— Миша хотел — и опекал вас, — холодно ответила Александра. — Не был должен, сам хотел. Пожалуй, я соглашусь с вами, что он ангел. Я — нет. У меня вы не вызываете подобного желания.

— Ну и катитесь к... к чертовой матери!

— Передам ей ваш родственный привет, — надменно кивнула Александра и поднялась.

Она расплатилась за заказанные блюда у барной стойки и направилась к выходу из кафе, ни разу на Любу не оглянувшись. В холле висело большое зеркало, и она вопросительно глянула на свое отражение. Да, она красива. Это не ее заслуга, это природа постаралась. Но остальное — ее успех, ее... не богатство, конечно, просто приличные заработки — результат труда и таланта. Хотя талант тоже от природы... Хорошо, остается труд. Она много труда вложила в свое образование, в творчество, в любимую работу, но не только. Труд вложен в ее женское обаяние, умение одеваться, держаться, общаться. Всему этому Саша училась сама и усердно! Она выросла в семье ученых-физиков, где вещи не имели никакой ценности — и где, соответственно, понятие вкуса было на зачаточном уровне. До всего доходила самостоятельно, наблюдая, читая, сравнивая и делая выводы. И кто мешает Любе сделать то же самое? Да, девушка не вышла ни лицом, ни телом, но сколько некрасивых мужчин и женщин пользуются успехом благодаря своему обаянию и уму! А это можно развивать, над этим можно и нужно работать! А не ныть, жалеть себя и требовать подачек от других!

Она гневно захлопнула дверь кафе и зашагала к метро, жалея, что не взяла свою машину, поехала с утра на Алешиной. Такие, как эта Люба, сначала требуют помощи, а потом, когда не получают, начинают отбирать силой! Такие вот люди устраивают революции, отнимают чужие жизни и имущество; такие насилуют женщин, которые их не любят; такие ставят подножки в карьере и вообще гадят, где могут, тем, кто хоть чем-то лучше их!

«*Работа над собой невозможна без самоанализа*», — вспомнила она слова Михаила. «И что же ты не научил девчонку его основам, умник?» — с досадой подумала она.

«Но способность к самоанализу заложена в генах. Нельзя требовать от людей способности к самосовершенствованию, как нельзя требовать от них быть умными. Есть компьютерные программы, предназначенные только выполнять заложенные в них возможности, — а есть саморазвивающиеся. Последние способны анализировать новые запросы и адаптироваться к ним. Наши гены — это программы, написанные Природой. Человек — его мышление, поведение, эмоции — всего лишь результат этих таинственных письмен. Воспитание может его обтесать, но не может его изменить. И если человек родился глупым, то ни-

какое образование не сделает его умным. Выйдет лишь ученый дурак... — вспомнила Александра другие слова Михаила из их переписки. — *Поэтому личность, в генном коде которой нет саморазвивающейся программы (т.е. способности к самосовершенствованию), не в состоянии адаптироваться к требованиям общества, что может привести ее к суициду...»*

Александра не знала, что на это возразить, но фатализм Козырева вызывал у нее протест.

«*Не надо пытаться сделать людей более совершенными — это бесполезно. Надо их просто научить любить себя такими, как есть. И они станут счастливы*».

А Люба вот не стала... Между прочим, умение принять себя — это тоже работа над собой, Миша! Это тоже самосовершенствование. Только направленное не на улучшение своих качеств, а на примирение со своими недостатками. И чем же этот путь предпочтительнее, а, Микаэль?

И вдруг она поняла: примирение с собой быстро ставит точку, тогда как самосовершенствование не знает предела. В первом случае — скорый отдых, гармония с собой; во втором — бесконечный путь, где за каждым поворотом тебя поджидают новые высоты для взятия...

Ее гнев постепенно остывал. Александра по характеру была отходчива, а по своей жизненной философии... Может, «философия» — это слишком громко сказано, она была человеком думающим, но на статус великого мыслителя не претендовала. Ее отношение к разным явлениям в жизни и в себе самой сформировалось как плод знаний, размышлений, анализа и... пожалуй, влияния Алеши. Ранняя ее молодость была не слишком радужной: красивая и дерзкая, она всегда привлекала к себе тот тип мужчин, которым почему-то хотелось ее обломать, унизить, подчинить себе. В силу чего ее представление о противоположном поле сформировалось, мягко говоря, нелестным. Она и не заметила, как стала превращаться в стерву, а взгляд ее на мир сделался циничным. И так было до тех пор, пока она не встретила Алешу.

...Может, дело все в том, что Михаил, сколько бы терпения и внимания в Любу ни вкладывал, ее не любил? Теории теориями, они все звучат красиво, куда красивее, чем реальная жизнь. Только жизнь тем и сильна, что реальна. И не подгрести ее ни под какую, пусть самую умную, теорию. И в ней, реальной жизни, все куда проще: не нужны были Любе никакие Мишины идеи, он сам ей был нужен. Любовь нужна Любе. А Козырев отдавал ей так много: время, заботу, душевное тепло... Да все мимо, все не то. Главного так и не дал.

А не могла ли она... Не могла ли, не вынеся нелюбви, столкнуть Михаила в окно? Когда человек не ожидает нападения, то много сил не надо. А потом Люба устроила видимость обыска и обратилась к детективу, чтобы тот доказал самоубийство... Придумала всю эту историю насчет родителей, а при встрече с Катей умело разыграла изумление?

Надо узнать у других ребят из групп, что говорил им Михаил о своей семье. Если все они знают о сестре и родителях — значит, Люба солгала.

Александра немного подумала и набрала номер.

— Ромка? Слушай, у меня к тебе дело. Тут вот какая история...

Закончив разговор, она направилась обратно в кафе. Люба сидела на том же месте, не шевелясь. Александра видела ее со спины, похоже, девушка не плакала, но застывшее, напряженное положение плеч выдавало состояние глубокой и горькой задумчивости.

«Размышляет над моими словами? Нет, сомнительно, скорее, жалеет себя, несчастную и обиженную всеми! И сейчас снова нахамит мне...»

Она подошла к столику.

— Послушайте, Люба... Давайте не будем ссориться. Помочь вам в личной жизни я действительно не могу, но нам надо понять, что случилось с Михаилом... если вы не передумали, конечно. Так что предлагаю просто сотрудничать, хорошо?

Люба подняла лицо и долго смотрела на Александру.

— А знаете, я ведь и вправду ненавижу таких, как вы. Красивых, успешных... Мне очень хочется плеснуть вам в лицо остаток кофе, за который вы так любезно заплатили.

Александра изогнула брови — не устояла, хоть и знала, что вид у нее при этом становится надменный, холодный, ледяной прямо.

— Да вы не пугайтесь, — усмехнулась Люба, — я не стану этого делать. Можете еще раз бровки ваши красивые поднять — у вас хорошо получается, — потому что вас удивит то, что я сейчас скажу. — Она снова усмехнулась, глядя на лицо Саши, отразившее некоторую растерянность. — Вы мне тут гадостей наговорили... но я должна сказать вам за них «спасибо». Вы очень некрасиво сказали мне **правду**. А Миша говорил ее красиво. Так красиво, что я не понимала. Теперь дошло.

Она умолкла. Напрасно Александра ожидала продолжения.

Выходит, Михаил отлично знал Любу. И работал с ней осторожно, чтобы ничего не повредить, не сломать в хрупком душевном равновесии бывшей наркоманки...

— Сейчас к нам подъедет один молодой человек, — произнесла она ввиду молчания девушки. — Вы нас представите своей группе?

— Что еще за человек? — В голосе Любы снова звучала враждебность.

— Его зовут Роман. — Александра, естественно, не собиралась раскрывать истинные причины, по которым она решила их познакомить. — Он поможет нам разобраться в том, что случилось с Михаилом... Это очень... проницательный, скажем так, юноша.

— Что-то вас стало слишком много, *проницательных*... — кривовато улыбнулась Люба. — Да еще сестра Мишина приехала...

— Ей бы вы тоже с удовольствием в лицо плеснули чем-нибудь?

Люба на нее покосилась. Это был ее коронный номер, хоть и вряд ли осознанный, — посмотреть сбоку, как нахохлившаяся птица, которая одновременно и трусит, и храбрится.

— Ладно, — проговорила она примирительно, — я ее приняла в штыки, но я ведь не знала о ней ничего, — свалилась на голову, как кирпич! Неужели вы не можете понять, что у меня был шок?

— Если бы я этого не понимала, то не вернулась бы. Что скажете насчет сбора групп?

— Сегодня нет занятий. Я после смерти Миши провела одно сама... точнее, я собрала всех, чтобы почтить его память... Мне кажется, я могу взять на себя... Смогу, как Миша, с ними работать. Ребята сказали, что согласны. Но на сегодня я ничего не планировала.

— Соберите их. Можете?

— Вы тоже думаете, что его убил кто-то из наших ребят?

— Нет. Правильнее сказать, не знаю.

Люба кивнула, достала мобильник и принялась названивать. Александра достала свой и сообщила Алеше о предстоящей программе.

Муж немного удивился — Александра никогда не участвовала в его расследованиях, разве только поисками информации, — но обрадовался: он и сам намеревался встретиться с группами, так что инициатива жены оказалась весьма кстати.

— Можешь не торопиться. Пока Люба соберет народ, времени пройдет немало...

Едва Алексей отключился, как позвонила Катя. Сдержанно извинилась за вспышку гнева, случившуюся в разговоре с Любой, и за то, что выставила всех за дверь. Кис заверил ее, что надобности в извинениях нет, все понимают и сочувствуют.

Ее звонок был очень кстати: они с Игорем уже изнывали от безделья и желания найти в квартире или компьютере Козырева хоть какую-то зацепку.

— Если позволите, мы бы хотели приехать, когда вам удобно, и...

— Прямо сейчас. Я толком ничего не успела понять, мне нужны объяснения. Почему этим занимаетесь вы, частный детектив; почему речь идет о самоубийстве... Жду вас.

Выслушав объяснения Алексея Кисанова, Катя нахмурилась.

— Блог? Где мой брат писал о желании уйти из жизни?

— Как бы не совсем он — не от своего имени. Он там представлялся как некий Микаэль, не раскрывая информации о себе. Моя жена — она журналистка, к слову, — вступила с ним в переписку и...

Катя слушала и удивлялась: как много знают о Мише чужие люди и как мало она сама. Пока он был жив, это казалось нормально, — элементарное уважение к чужой частной жизни. Но теперь, когда его нет... теперь почему-то щемило в груди от чувства вины: «Я не знала своего брата».

— Покажите мне этот блог!

Пока компьютер загружался, детектив сообразил, что у него нет интернет-адреса, по которому находился блог Микаэля. Извинившись, он пообещал Кате, что перекинет ей ссылку, как только узнает у жены, попозже. А пока, если Катя не возражает, они посмотрят файлы ее брата.

Катя не возражала, а детектив втайне обрадовался: ему не хотелось терять время, пережидая, пока девушка прочитает блог. А там и плакать начнет... Чужое горе очень обязывает: ему причитается уважение и сочувствие, но отдавать эту дань отнюдь не легко, никогда не знаешь, что сказать и как себя вести...

Против ожиданий Алексея, компьютер Михаила оказался не защищен паролем: то ли он считал, что на его диске нет секретов, то ли ничего не понимал в компьютерной безопасности.

— Надо же, — усмехнулась Катя, — а когда мы жили вместе, на его компе стоял пароль!

— Все же странно, — ответил Игорь. — У него часто бывали пациенты из обеих групп, а Любе он даже дал ключи от своей квартиры. Посторонние могли залезть в его компьютер в любой момент!

— Видимо, он считал, что его досье не представляют интереса для посторонних. Рутина, — предположил Алексей.

— Расхолаживает, признаться. Тогда и для нас не представляют интереса?

— Интересы у всех разные, — философски заметил Кис. — Хорошо бы наши не совпали с оными убийцы.

— Он искал что-то в квартире. Вряд ли его целью являлся компьютер. Иначе бы убийца унес жесткий диск.

— Или он не хотел, чтобы об этом догадались. Или не успел: ему пришлось срочно сбегать после того, как Михаил... Ну, понятно, — покосился он на Катю. — Или он в комп заглянул, но ничего интересного для себя там не нашел.

В компьютере оказалось два жестких диска. Второй назывался «Кабинет» и был запаролен. *Кабинет...* Это там, где Козырев вел частные приемы как практикующий психолог. Это связывало его врачебной тайной. Понятно, почему пароль. Оставим этот диск на потом, если нужда возникнет в нем покопаться, решил детектив.

На основном диске «С», в разделе «Мои документы» имелось три основных досье. Первое называлось «А и Б сидели на трубе».

— «А» упало, «Б» пропало... — продолжил Игорь. Первые — самоубийцы, вторые наркоманы? Две его группы?

Он оказался прав. Нескончаемая иерархия папок и длинные списки файлов в каждой были явно посвящены работе Михаила с группами. Он там записывал мысли, которыми собирался поделиться с ребятами, планы занятий, их анализ, характеристики участников, кусочки диалогов, — в общем, рабочие материалы. Имелись там и аудиозаписи, о которых упоминала Люба.

Бегло просматривая материалы, Алексей не мог отделаться от чувства все растущего уважения к Михаилу Козыреву: он отдавал себя работе целиком, в ней чувствовалось много душевных и временны́х затрат. Но в этом было и что-то странное. Тридцать шесть лет, семьи нет, даже постоянной подружки нет, иначе бы ее следы обнаружились в квартире. Профессия у Козырева денежная, а он много сил и времени отдает неблагополучной молодежи... И, если верить Любе, деньги за это практически не получает. Просто святой.

Однако и у святых бывают причины, по которым они пекутся о ближнем, жертвуя личной жизнью. Или причина как раз в ее отсутствии? Тогда почему? Интересная внешность, интересная личность, престижная профессия, приличные доходы — все при нем. Может, он правду сказал Александре, что любить ему не дано? И он убедил себя, что вместо одного человека любит всех?

Алексей нередко встречал людей, не любящих никого... Кроме себя, разумеется. Их эгоизм был мелок, сводился к постоянной и истовой заботе о себе, такие будто окапываются повсюду, куда ни попадут, строя себе норку — поуютнее, покрасивее, попрестижнее, а на окружающих летят комья грязи из-под усердных лапок. Но Михаил Козырев совсем не походил на этот отряд грызунов. Он вообще ни на кого не походил. Загадка. Или... или просто мы о нем знаем далеко не все?

Детектив решил отложить свои вопросы на потом: время шло, а работы еще оставалось много-премного.

— Игорь, как зовут того человека из группы наркоманов, которого полиция подозревает?

— Олег.

— Точно, Олег. Староста группы.

Алексей нашел в самом начале, в папке пятилетней давности — староста должен иметь приличный стаж в группе — файл с характеристиками участников. А, вот и Олег Черняк:

«*Проблем с ним не будет. Он любит жизнь, на дурь подсел случайно, в тяжелый период. Это же его и спасет: наркотики связаны в его памяти со страданием, вернуться к ним — все равно что заново страдать. Он этого не сделает*».

Михаил был хорошим психологом, его прогноз полностью оправдался: теперь Олег помогает вытаскивать из зависимости других. И крайне маловероятно, что он убил (и ограбил?) Михаила ради дозы... Да и была ли в квартире доза? Впрочем, не будем забегать вперед. Надо встретиться с ними всеми, своими глазами на них посмотреть, своими ушами послушать.

Второе досье называлось «Личное». В нем находилось куда меньше папок и документов. Одна называлась «Сказки», и Кис с удивлением обнаружил там короткие сказочные истории, сочиненные Михаилом, — об этом свидетельствовали многочисленные следы правки.

— Миша всегда придумывал для меня сказки, когда я была маленькая...

Катя сидела рядом и тихо плакала, так тихо, что детектив бы и не догадался, если бы не посмотрел на нее.

— До сих пор одну помню — «Как поссорилась туфелька с носком»... У меня носки вечно сбивались, съезжали в туфли, а потом они натирали кожу, на ступнях вскакивали волдыри... Сказка кончалась тем, что они, туфелька с носком, пришли ко мне с просьбой их рассудить и помирить. С тех пор я стала следить за ними, вовремя поправлять носки, и волдырей больше не было.

Девушка едва сдерживала рыдания. Игорь похлопал ее по плечу.

— Классный у тебя брат! А я вот в семье рос один. Скучно. Просил папу с мамой, но так и не допросился. У меня был в детстве друг, так он хвастался, что у него сестричка, есть кого за косички дергать, представляешь?

Игорь немного порозовел от смущения за придурковатую бодрость этой фразы, однако маневр удался: Катя улыбнулась. А Алексей тем временем читал коротенькую «Сказку про ангела».

«Жил-был Ангел, и ему было скучно на небе. Хотя веселых занятий было полно: гоняли с другими ангелами в футбол мячиком из пуха (не смейтесь, это намного труднее, чем играть обычным мячом!), летали наперегонки, кидались райскими яблочками, ну и время от времени он занимался тем, что поручали старшие: посматривал на землю и исполнял, строго по графику, желания людей. Иногда два раза за день, иногда неделями никому не помогал. Почему такой график был, он не знал:

его составляли взрослые. Как-то один из старших ангелов попытался ему объяснить закон больших чисел, которому соответствовал график, но Ангел ничего не понял и быстро забыл об этом.

Однажды он провинился: исполнил желание, вопреки графику помог одному человеку. И его в наказание сослали на землю на две недели.

Ангел уже давно сталкивался с непонятным явлением: люди никогда не знают сами, чего хотят, поэтому они сначала просят, а потом жалеют. Он вспомнил свой самый первый неудачный опыт: восьмилетняя девочка просила много-много мороженого. Ангел сделал так, что у торговки сломался морозильник в передвижном лотке, и она в панике стала раздавать мороженое всем детям подряд. Конечно же, торговка оказалась на пути у этой девочки. Та схватила сразу три рожка и, поскольку они быстро таяли, съела их один за другим. И что? Заболела! Такой жар был, что Ангел за ее жизнь испугался.

После этого он решил детские желания больше не исполнять. Намного позже он понял, что все-все люди, даже взрослые, похожи на ту девочку: они просят что-то для себя приятное, а потом, получив, страдают. Они мучаются физически (теряют здоровье, иногда жизнь) и душевно (тоска нападает да скука). Вот женщина: так хотела замуж за того мужчину, чуть руки на себя не наложила. Ангел взял и помог ей. И что? Она уже разводится! Вот парень: рвался к богатству с лю-

той силой, многих убрал с пути — Ангел ему, естественно, не помогал, там с Дьяволом дело складывалось, — а теперь сидит этот парень посреди своего имущества и не понимает: зачем его добивался? Душу и тело истратил, износил — и сейчас его, Ангела, просит: помоги, сними камень с души! Да что он может, Ангел? Разве в его силах изменить поступки человека? Они уже сделаны, они уже вписаны в его историю... Только разве память его стереть, амнезию ему приключить?

Оказавшись в ссылке на земле, Ангел решил воспользоваться своим пребыванием и объяснить людям, что надо получше обдумывать свои желания, потому что их исполнение влечет за собой новые желания и новый труд по их исполнению. Ангел знал: если люди начнут думать над своими желаниями, то их количество само по себе уменьшится, отчего станут они счастливее. Ведь несчастье — это не-исполнение желаний...

В результате он стал психологом и больше не вернулся на небо. Крылышки отослал наложенным платежом».

Ясно: Михаил по-прежнему сочинял сказки, только теперь для своих подопечных. Литературным даром он не обладал, но, наверное, любая сказка лучше, чем унылое морализаторство...

А вот это: *Желания порождают новые желания... И новый труд для их осуществления...* — это близко к философии буддизма.

Возможно, Козырев увлекся буддизмом? Или хотя бы его основными идеями? И запретил себе страсти, увлечения... Отсюда и его слова о том, что он не умеет любить — в контексте о любви к женщине... К одной-единственной... Потому что он направил свой потенциал любви ко всем, к человечеству... Так, что ли?

Загадка этот Козырев.

Третье досье называлось «Концерн» и содержало множество видеофайлов и несколько документов. Все они оказались новыми: самый ранний был записан в прошлый понедельник, а последний — в пятницу. Люба сказала, что Михаил погиб в этот понедельник, то есть неделю спустя после того, как начал работать по «Концерну»! Это уже интересно...

В первом документе Козырев кратко описывал предстоящую задачу. Писал он для себя, отчего не все было понятно, но основное все же прочертилось: психиатра Козырева пригласило руководство Концерна для проведения собеседований с сотрудниками всех рангов (кроме самого высокого руководства) с целью предотвратить «эпидемию самоубийств».

Действительно, Алексей вспомнил, были сообщения в прессе: за последние полтора месяца произошло два самоубийства в этом крупном и весьма известном Концерне. Стало быть, заботливое руководство испугалось за свою репутацию и решило принять меры.

Дальше в документе шел список вопросов, которые Михаил собирался задавать сотрудникам Концерна: как они относятся к самоубийству коллег, как оценивают перспективы своего карьерного роста, отношения с другими сотрудниками, с начальством, как дела в семье, с детьми и прочее.

Игорь нажал на первый видеофайл. Небольшой кабинет. «Вот за этим столом я буду принимать сотрудников. Это стул для посетителей, это мое кресло...» — комментировал мужской голос.

— Это Миша говорит... — прошептала Катя.

«Лишней мебели нет, если и была, то вынесли. Это хорошо, ничего отвлекающего. Против моих записей руководство не возражает, я объяснил, что они мне нужны для последующего анализа...»

Камера обогнула стол, затем в нее попали собственные ноги Козырева, усаживающегося в кресло, после чего камера уставилась на дверь. «Прошу вас!»

В кабинет вошел мужчина, энергично потряс руку психиатра и сел на стул. Первые пять минут Алексей с Игорем внимательно слушали диалог, потом прокрутили запись немного вперед. Мужчина был спокоен, на вопросы отвечал бойко, и все у него в жизни оказалось прекрасно, если верить его словам.

Кис вспомнил старый анекдот про психбольницу:

«Приходит сумасшедший на комиссию, у него на веревочке калоша. Врач спрашивает: что это у вас? — Моя собака Шарик. — М-да, придется вам полечиться еще.

Через несколько месяцев снова комиссия, тот же псих с калошей. Врач: что это у вас? — Как что? Калоша! — Отлично, теперь можем вас выписать.

Выходит псих на улицу, обращается к калоше: «Ну что, Шарик, ловко мы их провели?»

Вот так, наверное, и ведут себя сотрудники Концерна с психиатром: они знают, что его задача — выявить потенциальных самоубийц. И весьма возможно, что после его заключения руководство поторопится их уволить... Так что все шарики назовутся калошами, без сомнения.

Они снова услышали голос Михаила Козырева, но качество звука выдавало, что наложен он был потом, поверх записи, с помощью программы монтажа видеоклипов. Психиатр комментировал встречу, но не столько ответы, сколько жесты и интонацию посетителя. Алексею даже стало интересно. Он открыл наугад еще две записи, немного посмотрел: один мужчина и одна женщина, схема та же — бодрые голоса, повышенно-честные лица, мнимая раскованность, напряженные короткие ответы. Женщина даже положила руки на коленки, как школьница. Алексей не удержался, бегло прослушал комментарии психиатра и с удовольствием отметил, что он и сам примерно так же оценил этих двоих: люди без второго дна, с рядовыми проблемами, больше всего боятся потерять престижную работу...

Закралась мысль: а возможно ли вообще в короткой беседе вычислить потенциального самоубийцу? Ведь шарики калошами прикидываются. А нервозность легко отнести за счет страха увольнения. Всерьез ли Концерн рассчитывал выявить слабое звено в своих рядах, или эти встречи из разряда пиара: мол, вот как мы заботимся о сотрудниках, наняли психиатра, чья задача выявить и спасти заблудшую душу?..

Интересно было бы узнать, что думал об этом сам Михаил Козырев. Только уже вряд ли удастся...

Детектив не мог позволить себе слушать все записи подряд: каждая длилась примерно двадцать минут, за один день Козырев проводил четырнадцать-пятнадцать встреч, а дней было пять. Есть ли среди этих записей хоть одна, существенная для дела? Если да, неплохо бы ее как-то вычислить...

Он снова вернулся к списку. На каждую дату имелось, кроме видеофайлов, еще по документу, а за пятницу целых два, из-за чего Алексею сразу захотелось просмотреть именно их, но он подавил искушение: нужно сначала понять, что эти документы представляют собой в целом, чтобы увидеть, в чем отличие пятницы. Он открыл первый, понедельничный, за ним второй... Это оказались краткие отчеты по встречам за каждый день. И Кис перешел к пятнице.

Один из двух документов тоже оказался наброском отчета, зато второй...

«У встречи с Ириной оказалось неожиданное продолжение.

Я только вышел из книжного магазина на Полянке, как услышал, что кто-то зовет меня. Обернулся. Серо-зеленые тревожные глаза, точеный носик и... надо же, я не обратил внимания в первый раз: веснушки на нем. Это мило.

Она ко мне подбегает, чуть запыхавшись. Действительно ли случайна наша встреча? Моя секретарша не могла проболтаться о том, куда я еду после работы... Надо будет все же ее расспросить».

Алексей остановился. Это *продолжение*! А где начало?

Он стал прокручивать по очереди все видеозаписи за пятницу. «*Серо-зеленые тревожные глаза, точеный носик*»... Ага, вот и она! Серо-зеленые глаза и... верно, веснушки при офисном освещении незаметны. Ну что ж, посмотрим, посмотрим, что тут за история.

На видеозаписи молодая и весьма миловидная женщина в деловом костюме (юбка и приталенный пиджак, цвет между серым и бежевым) усаживается на стул, заправляет за ухо выбившуюся из прически прядку светлых волос. На предыдущих записях посетители ждали, пока психолог заговорит сам — а он начинал с просьбы представиться, — однако она завязала беседу первой:

— Значит, вас наняли для того, чтобы...

— Уместнее будет слово «пригласили».

— Подозреваю, что разница в терминах интересует только вас! — Улыбка у нее яркая, дерзкая.

Надо же, она ведет себя вызывающе, удивился детектив. И зачем? Не хочет играть в «шарика и калошу»? Алексей ожидал услышать наложенный голос Михаила, как на других записях, но нет, психиатр почему-то от комментария воздержался.

— А что интересует вас? — продолжал Козырев.

Он тоже отступил от схемы, задал вопрос нестандартный. Принял ее игру?

— Вы считаете, что самоубийства заразительны? Или так считает наше руководство?

— Ваше руководство обеспокоено тем, что...

— Я знаю. Скандал в благородном семействе. Так самоубийства заразительны?

— Это ведь не вирус. Но — пример. Тот, кто лишь подумывал о самоубийстве, может решиться на акт под влиянием примера. У вас в Концерне ведь уже два случая. И нельзя исключить, что...

— Вы вообще думаете, что говорите, господин психиатр? Есть же поговорка: «дурной пример заразителен». Ее все знают, даже последние тупицы! А вы тут с умным видом мне ее растолковываете... Или вам за время платят?

— Нет, подушно, — отвечает он.

В голосе его чувствуется веселое любопытство. Ага, он тоже заинтригован странным поведением этой женщины, — отметил детектив.

— Простите?

— Повстречно. За каждую душе-встречу.

— Да я уже поняла, хватит объяснять, зануда вы какой!

Она снова сунула прядь за ухо, поправила воротник кремовой блузки, расстегнутой на две пуговицы. Хороший у них дресс-код: в меру соблазнительно. Лицо ее, однако, словно выключилось. Так гаснут огни рекламы — зазывной нашлепки на теле здания, которое теперь, в отсутствие блеска, погружается в сосредоточенное самосозерцание. Теперь оно не светит другим, посторонним, теперь оно размышляет о своей судьбе.

Странно, Козырев все молчит. Он вообще не сделал комментарии поверх этой записи?

Она вдруг начинает ерзать на стуле. Нервничает? На взгляд Алексея, слишком уж откровенно, если не сказать — демонстративно.

— Вам неудобно? — спрашивает Михаил.

— Мне? А, нет. Просто не очень хорошо себя сегодня чувствую.

«*Сегодня*». Намек на месячные? Провокация? Или она ведет какую-то игру... цель которой детективу не была ясна. Интересно, понял ли ее Козырев?

— У меня всегда с собой небольшая аптечка. Дать вам обезболивающее?

— Да, дайте... Спасибо.

В объективе камеры появляется его рука с таблеткой, которую он протягивает женщине. Та принимает, сжимает в ладони. Пауза. Она осматривается по сторонам. Что она хочет увидеть в этой маленькой комнате?

— Воды? — спрашивает Михаил.

Она кивает, его рука берет бутылку, стоящую сбоку на столе, наливает в стакан.

— Он чистый, я из него еще не пил.

Михаил встает и отходит куда-то, камера не видит куда, он вне ее поля зрения. Надо полагать, что он повернулся к женщине спиной — встал у окна (куда же еще?), — потому что она прячет таблетку в карман, пьет воду. Козырев не успел ее предупредить, что их беседа записывается на камеру — слишком нестандартно оная беседа началась, — и она не догадывается, что его мобильный фиксирует каждый ее жест.

Почему он отвернулся? Намеренно дал ей возможность смухлевать?

— Так вы пытаетесь вычислить будущего самоубийцу? — она возвращает пустой стакан.

— Звучит как фраза из детектива, — улыбается (на слух понятно) Козырев. — С разницей в приставке «само». Я психолог... — Он запнулся и, через паузу: — Ирина Петровна. — Видимо, прочитал ее имя на какой-то бумаге (список сотрудников?), лежащей перед ним. — А не сыщик.

— И как же вы намерены его вычислить?

— Никак. Могу только предположить.

— Заподозрить?

— Можно и так сказать.

— Меня? Потому что я нервничаю?

В ее серо-зеленых глазах плещется тревога. Впечатление такое, будто в зрачок бросили камень, и теперь вокруг него по ирису расходятся волны.

— Необязательно. Хотя вы нервничаете. Скажете, почему?

— Ой... — она резко хватается за низ живота. — Ой, простите... У меня... Я неважно себя чувствую... Можно, я приду к вам в другой раз? Дайте мне номер вашего телефона!

Похоже, Козырев немного растерялся: очень уж неожиданный поворот в разговоре. Он молчит.

Лицо ее искажает гримаса боли. Иди знай, настоящей ли...

— Расписанием моих встреч занимается секретариат вашего Концерна, — наконец ответил

Михаил. — Они найдут для вас новую дату и известят вас.

— Но здесь вы работаете только в рамках той задачи, о которой попросил вас наш Концерн... А я хотела бы... Мне нужна помощь. Проблемы с моим МЧ.

— *МЧ*?

Алексей тоже удивился.

«*Молодым Человеком*, — произнес негромко Игорь. — Так обычно на женских форумах пишут».

— Молодым человеком, — пояснила Ирина в кадре. — С моим парнем.

— Хм... Видите этот листок бумаги? Концерн снабдил меня краткими сведениями о каждом сотруднике.

— И что с того?

— Вы замужем.

— Мой брак — чистая формальность.

Снова пауза. Козырев обдумывает слова своей странной посетительницы.

— Так вы можете меня принять в своем кабинете? — нетерпеливо переспрашивает она.

— Ирина Петровна, я здесь не для того, чтобы формировать себе новую клиентуру. Я выполняю работу по просьбе вашего предприятия.

— Как вас зовут, повторите, пожалуйста?

Она поднимается.

— Михаил Дмитриевич Козырев.

— Я вас найду. А на новую встречу в рамках вашей работы в Концерне я приду, конечно, само собой. Секретарь мне назначит дату. А сейчас, простите... — она снова прижимает руку к животу, корчит гримасу боли и быстро покидает кабинет.

Запись закончилась. Алексей задумался. Похоже, что эта Ирина сделала все, чтобы не позволить психиатру задать ей стандартные вопросы. Почему? Боялась себя выдать? Она не вела игру, она лишь пыталась ее вести. Но неумело. Не из тех женщин, у которых актерство в крови, не из тех людей, которым лгать легко...

Но что она хотела скрыть? Если у нее склонности к суициду, то зачем она пыталась договориться с Козыревым о другой, отдельной встрече?

Как бы то ни было, Алексей чувствовал: цель у нее была одна: встретиться с психиатром наедине. И не в здании Концерна. А вот зачем...

Он открыл файл с отчетом за пятницу. Встреча с Ириной была последней, и детектив сразу отправился в конец документа. «Ирина Петровна Липкина. Старший менеджер отдела по связям с общественностью. Замужем, 32 года» — гласил заголовок. Но под ним не оказалось ни слова. Почему-то Михаил ничего не написал о ней и не сделал комментарии к видеозаписи, хотя у него было два выходных...

Два выходных до смерти, — как дико звучит.

Что ж, теперь почитаем *Продолжение*...

Там стоит дата: все та же пятница. Время не указано. Но понятно, что Козырев запись сделал вечером, после всех своих дел и встреч, на домашнем компьютере.

7/IX-12. Да, дата была обозначена именно так, — Алексей уже лет тридцать, наверное, такого написания дат не видел, а то и больше.

«*У встречи с Ириной оказалось неожиданное продолжение.*

Я только вышел из книжного магазина на Полянке, как услышал, что кто-то меня зовет. Обернулся. Серо-зеленые тревожные глаза, точеный носик и... надо же, я не обратил внимания в первый раз: веснушки на нем. Это мило.

Она ко мне подбегает, чуть запыхавшись. Действительно ли случайна наша встреча? Моя секретарша Аня не могла проболтаться о том, куда я еду после работы... Надо будет все же ее расспросить. Или Ирина за мной следила?

— Я как раз хотела зайти в магазин за парой детективов... А тут вы!

Впечатление такое, что она действительно рада встрече.

— Я так рада... — она будто решила подтвердить мои мысли. — Мне очень хотелось вас увидеть...

— Вы сказали, что у вас трудности с внебрачным МЧ.

Я излишне сух. На самом деле я просто осторожен. Мне не нравится такое начало. Практика с неблагополучными людьми приучила к тому, что мое профессиональное участие они пытаются перевести в личные отношения. И мне ее радость от нашей встречи совсем ни к чему.

Она словно не слышит мои слова. Берет меня под локоть и почти тащит по улице.

— Можем мы пойти куда-нибудь выпить по чашке кофе? Или чаю, не знаю...

Пока я ищу ответ (как бы повежливей отказать), она произносит быстро, не меняя выражения лица:

— За нами могут следить. Точнее, за мной. Умоляю вас, согласитесь!

Это уже интересно. У девушки паранойя?

— Мы с вами работаем над сценарием фильма о шпионах? — хмыкаю я, но даю себя увлечь в направлении какого-то кафе, чья вывеска светится поблизости.

Знаю, что поступил неправильно, если воспринимать ситуацию рационально. У Ирины проблемы (неважно, какого рода, психиатрия или реальные неприятности), и она собирается вовлечь в них меня. Но мне стало интересно. Я хороший, просто исключительно хороший человек. Почти подвижник. Только до невозможности скучный. Я лишен эмоций, мне не знакомы ни гнев, ни любовь. Жизнь я заполняю работой. А может, мне как раз недоставало приключений? Во всяком случае, у меня появился шанс это проверить.

Мы устраиваемся за столиком в кафе, делаем заказ: кофе и два пирожных. Вообще-то я их не люблю, но взял из солидарности.

— Вам не приходило в голову, что в кабинете, где вы беседуете с сотрудниками Концерна, стоит прослушка? — спрашивает она.

Честно говоря, я не задумывался. Но ее слова ложатся в мой мозг без сопротивления.

— Не исключаю, что вы правы. Концерну хочется знать больше, чем могу сказать я. Возможно, меня наняли исключительно ради того, чтобы какой-то другой психолог — свой, давно проверенный — дал свои заключения по результатам моих встреч. Если, конечно, они действительно прослушиваются и записываются.

— Их не суициды интересуют. Вас пригласили для видимости. На самом деле...

Она не договорила.

— Проверяют лояльность сотрудников? — решил помочь ей я.

— Как у вас дела с интуицией? — резко меняет она тему.

Я удивился вопросу.

— Ну, у вас она развита?

— Пожалуй...

Разговор принимает все более странный оборот, но я ответил ей честно.

— И, по вашим ощущениям, за нами сейчас следят?

— Видите ли, Ирина... Для того, чтобы интуиция заработала, ей нужно все же нечто... Нечто, похожее на задание. Я хочу сказать, что если бы я внутренне вопрошал: следят ли за мной? — то я бы, надеюсь, получил от своей интуиции ответ. Но я ни сном ни духом такую мысль не допускал...

— Так допустите!

— Хорошо. Попробую.

Я сосредоточился. У меня действительно очень развитая интуиция, хотя на сто процентов гарантировать не могу. Тем не менее данный экзерсис принес мне ощущение, что никто за нами не следит — это ощущение замкнутости наших полей, моего и Ирины, направленных друг на друга. У меня нет чувства, что кто-то пытается эту замкнутость взломать, тайно внедриться в наш союз.

— Нет, не следят.

— Я вам верю.

— Увы, я вам — нет. Вы ведете какую-то игру... хоть и не слишком умело. И даже совсем неумело, сказать по правде. Если вы подозреваете, что мой кабинет для встреч прослушивается руководством Концерна, то вы сделали все, чтобы вызвать к себе нездоровой интерес.

— Да? А что же я такого сделала?

Похоже, она искренне удивлена.

— Все сотрудники боятся, что на них падет подозрение в суицидальных наклонностях, а за

этим последует увольнение. Поэтому все отвечают на вопросы, составленные мною заранее, старательно и изображают полное довольство фирмой и жизнью. Вы же не дали мне озвучить ни один из них, моих вопросов, — вы повели разговор сами.

— И... и что?

— Можно подумать, что вы боитесь и потому намеренно избежали их. А затем сократили время нашей несостоявшейся беседы, разыграв боль в животе. Таблетку, к слову, вы проглотили?

Она покраснела. Затем вытащила ее из кармана и показала мне.

— А если в кабинете стоит не только прослушка, но и скрытая камера? Ваш жест увидели, в таком случае. Вы вели себя неосторожно, Ирина.

— О боже... — она касается пальцами лба.

Красивые пальцы, к слову. И не только они, конечно. Эта женщина вызывает у меня желание. Мне это не мешает, я привык с ним справляться.

— Я всего лишь хотела дать вам понять, что у меня проблемы, что мне нужна помощь... Ну, и вам понравиться тоже... Вызвать мужской интерес, чтобы вы согласились на отдельную встречу со мной!

— Зачем?

— Мне действительно нужна помощь. Но не психологическая. Я выбрала вас просто потому, что вы не имеете отношения к Концерну. Вы совершенно посторонний человек, которого наняли для видимости. С вами меня никто не свяжет.

— Ирина, я не хочу, чтобы вы вмешивали меня в какие-то истории со своим работодателем...

— Поздно. Простите. Мне больше не к кому обратиться.

— Но я...

— Михаил, два самоубийства — это ложь. На самом деле у нас имело место два **убийства**. *Под видом суицидов.*

— Ирина, я не тот человек, который вам нужен. Если в вашей организации были совершены преступления, обратитесь в полицию!

— Вы издеваетесь, а?

Ну да, коррупция, всесильные руководители Концерна... Конечно, ничего не доказать. Но при чем тут я?!

— Да не бойтесь! Я ничего такого не прошу... Просто возьмите это на сохранение.

Она оглядывается вокруг, я невольно тоже. Нет, никого здесь нет. Никого, кто следил бы за нами. Ирина быстро протягивает руку и вкладывает в мою ладонь небольшую серебристую вещицу на цепочке. Какое-то украшение.

— Что это?

— Улика. Пожалуйста, сохраните это! И никому о нем не говорите. И если меня убьют, то отдайте... Не знаю, надежным журналистам или, мало ли, надежным следователям, если с такими вы знакомы...

— Вас хотят убить? — спросил я тупо.

— Надеюсь, что пока нет! — рассмеялась она нервно. — Пока они не знают, что я знаю...

Ирина поднялась и стремительно покинула кафе. А я остался с маленькой вещицей в кулаке. Приоткрыв ладонь, посмотрел на нее внимательно: серебряное яблочко, украшенное бриллиантиками. Или стразами, я в этом не разбираюсь. Хотя нет, не яблочко, скорее сердце. Странная улика.

Ладно, она меня просила вещицу сохранить, а не гадать, что да отчего. Я сунул сердечко в карман и отправился домой».

Далее шла новая дата: «09/IX-12». То есть на два дня позже.

«Вот оно лежит передо мной, прямо перед клавиатурой. Все-таки это стразы, думаю. Даже если предположить, что само сердечко из чистого серебра (в чем сомневаюсь), то все равно, больших денег не стоит. На такую безделушку не стали бы бриллианты лепить, даже мелкие. Но пусть серебро, пусть бриллиантики, — материальная ценность все равно невелика. Скажем так: это не улика какого-то ограбления. Тогда в чем она, ценность?

Меня почему-то не отпускает беспокойство. Связано ли это с Ириной? Он сказала: «если меня убьют»... То есть могут? Она в опасное дело сунулась, она знает, что под видом суицидов произошли убийства. И она может представлять угрозу для убийц... **Надеюсь, что с ней ничего не случилось.**

Сейчас подумал: вдруг это медальон, внутри которого что-то спрятано? Посмотрел. Ничего похожего на кнопку, открывающую створки, на нем нет, да и створок никаких нет.

А что, если это сердечко сделано на заказ, является эксклюзивным произведением какой-то известной ювелирной фирмы... И по нему можно найти дизайнера-изготовителя, а там и заказчика? Вещь женская, неужели женщина замешана в преступлении? Или она — жертва? Мне вообще-то это знать ни к чему, но любопытство разыгралось... Нет, не любопытство — тревога. Жаль, не взял телефона Ирины, позвонил бы. **Надеюсь, что с ней ничего не случилось.**

Надо сделать снимок этого сердечка. Спрошу у кого-нибудь из своих подружек, может, девушки скажут, в чем ценность этой вещицы...»

Текст на этом обрывался. Написан он был вечером в воскресенье, а на следующий день Михаил выпал из окна. Его квартиру тщательно обыскали. Как верно заметила Саша, искали что-то маленькое... Серебряное сердечко? Оно действительно являлось уликой? Или совпадение?

Нет! Если бы сердечко не интересовало убийцу, то оно бы сейчас валялось где-нибудь посреди одежды или бумаг. Но его в квартире нет! Следовательно, убийца унес его с собой. И, значит, целью его поисков была именно эта вещица, которую передала Михаилу Козыреву Ирина.

Алексей вернулся к отчету за пятницу, нашел нужную строчку: «Ирина Петровна Липкина. Старший менеджер отдела по связям с общественностью. Замужем, 32 года». Затем открыл Интернет, ввел в строку поиска название Концерна, выписал несколько телефонных номеров.

— Игорь, срочно требуется твой бархатный баритон, — сообщил детектив. — Вот номера. Дозванивайся и проси соединить с отделом по связям с общественностью, а там — Липкину Ирину Петровну. Представься ей журналистом, мол, делаешь материал о... не знаю, сам придумай. Главное, добейся встречи с ней под предлогом интервью. Если начнет расспрашивать, ссылайся на Александру и ее издание.

Пока ассистент дозванивался, детектив вспомнил об обещании, данном Кате. Александра сейчас не дома, вспомнит ли она адрес блога Михаила? Кис повернулся к компьютеру, завел в строку поиска: «отбываю жизнь как повинность», — и нужная ссылка выпала мгновенно.

Девушка подбирала разбросанные вещи в маленькой комнате, и Алексей направился туда. Катя стояла у шкафа.

— Как странно, Алексей Андреевич... Я раскладываю Мишины вещи — рубашки на одну полку, трусы-носки на другую, свитера на третью... А ведь ему больше эти вещи не нужны. Душа трусов не носит. Для чего я их раскладываю на места?

Что тут скажешь в ответ... Алексей только сочувственно вздохнул и предложил Кате помочь. Она передала ему стопку футболок — вещи она сортировала на кровати — и показала на одну из полок: «Туда».

Неожиданно Алексей обратил внимание на верхнюю полку того отделения шкафа, где висели пустые «плечики», — костюмы все еще валялись на полу. Там лежали свитера, стояла пара картонных коробок, дорожная сумка...

— Это вы уже сложили, Катя?

— Нет, так и было. Вор не успел, видимо, добраться до этой полки.

Выходит, Алексей не все пересмотрел в квартире в прошлый раз. Ну да, в спальне его больше интересовали следы присутствия женщины, на эту полку он не обратил внимания...

— Я посмотрю, с вашего позволения?

Он достал все вещи сверху, каждую развернул, исследовал коробки и сумку. Но нет, и там сердечка не оказалось. Выходит, его все-таки унес грабитель... он же убийца, надо полагать.

— Пойдемте, Катюша. Я нашел блог вашего брата.

Едва он усадил девушку перед монитором, как услышал голос Игоря, доносившийся с кухни (ассистент ушел туда с телефоном, чтобы ему не мешали): «Она в отпуске! С прошлой пятницы, на две недели!»

Стало быть, Ирина уехала в тот же вечер, после встречи с Михаилом... После того, как отдала ему сердечко на сохранение. Бегство? Или запланированный отпуск?

— Куда она уехала, не сказали?

— Нет.

«Надеюсь, далеко. Туда, где ее никто не найдет, — подумал Алексей. — Но вернется ли она через две недели? Маловероятно... Опасность вряд ли рассосется сама по себе. Я бы на ее месте не вернулся».

— Я еду в клуб на встречу с подопечными Козырева.

— Я с тобой!

— Нет, Игорь, останься... Вы не будете возражать, Катя?.. У меня есть для тебя поручения. Во-первых, собери все материалы в рунете о самоубийствах в Концерне. Во-вторых, поищи в компьютере Михаила фотографию сердечка: вдруг он все же ее сделал. И просмотри его почту: не отправлял ли он кому-то из знакомых этот снимок.

— Вообще-то Ирина просила никому не говорить о нем.

— Для порядочных людей, таких как Михаил, слово «никому» означает всего лишь никому **из тех**, кто может оказаться причастен к кулону. Остальные им кажутся вне подозрений. Людям, далеким от криминала, представляется, что он существует где-то на другой планете, но только не в их кругу. Они не думают о том, что у их друзей, которым они доверяют (и которым сболтнули секрет), имеются жены и мужья, любовники и любовницы, взрослые дети и родители, и у всех у них тоже есть друзья, то есть совершенно незнакомые им личности, которые вполне могут оказаться втянуты в орбиту криминала. И что информация, доверенная другу, может по цепочке дойти до ушей преступника.

— Да ладно, Кис! Ты, конечно, прав, но все-таки вероятность невелика!

— Невелика, не спорю. Но если Козырева убили из-за этой штучки — а на то похоже, — то кто мог навести на него убийцу?

— За ними в кафе следили, только и всего!

— Ты удивишься, но я склонен доверять интуиции Михаила. Давай пока будем считать, что он верно просек ситуацию: за ними **не** следили. В таком случае, его могла каким-то образом выдать одна из знакомых девушек... Та, которой он отправил фотографию сердечка. Проверь.

— Подождите меня, Алексей Андреевич! — воскликнула Катя. — Я с вами! Хочу познакомиться с людьми, которые хорошо знали Мишу, которым он помогал... — Она заметалась по квартире, хватая телефон, сумочку, какие-то другие мелочи. — Мне нужно их увидеть, понимаете? В них отразился мой брат, в них еще живет его душа, понимаете?..

Когда приехал Роман, кареглазый блондин с тонкими чертами лица, Люба сразу зажалась, в глазах ее появилась тоска: красивый парень, такие всегда смотрят на нее с презрением... если вообще смотрят.

— Привет, мачеха! — Он поцеловал Александру в щеку и повернулся к Любе: — Я Ромка. А это — моя любимая мачеха, она тебе сказала?

У Любы сделалось удивленное лицо, а Александра улыбнулась. Их отношения с Романом, внебрачным сыном Алеши, начались куда как плохо. Собственно, он и искал своего настоящего отца, чтобы отомстить ему за все свои несчастья. ОТОМСТИТЬ. То есть причинить зло.

И причинил-таки. По счастью, ничего непоправимого не случилось. А Роман с тех пор многое переосмыслил. И очень изменился. Так что теперь они друзья, прошлое друг другу прощено.

Собственно, именно поэтому Александра подумала о Романе в первую очередь: он прошел такой путь, столько бед видел — и, к слову, с детства сутками вкалывал наравне со взрослыми, — что Люба, по сравнению с ним, вела жизнь избалованной принцессы на горошине, и проблемы ее были с горошину. Понять девушку ему не составит труда, а Александра как раз и рассчитывала на его мнение.

— А ты, значит, и есть та очаровательная девушка, с которой мачеха хочет меня познакомить?

Люба залилась краской и с негодованием посмотрела на журналистку: как она могла такое сказать!

— Ты и вправду миленькая, — произнес Роман, бесцеремонно рассматривая девушку. — Только одеваться не умеешь. Ничего, я тебя научу. Пошли, девочки? — Он подхватил обеих под руки. — Ты не думай, я знаю все эти женские секретики.

Александре не доводилось видеть Ромку в общении с девушками, встречи с родителями обычно не совмещают со свиданиями, и теперь она шла и удивлялась, как быстро, за какие-то два года научился застенчивый, даже угрюмый парнишка вести себя столь раскрепощенно и уверенно.

— «Голубой», что ли? — хмыкнула Люба.

— Не, я разноцветный.

— Это как?

— Разносторонняя личность, вот так, — улыбался Роман. — Это не сексуальная ориентация, если ты не догадалась, это душевная. Слушай, расскажу тебе. Я работаю в автосервисе, у меня куча богатых клиенток. А я сам был раньше дикий, только краснел и мычал при виде красоток. Мне мужики, в смысле коллеги, как-то говорят: женщины комплименты любят. Ты им скажи че-нить приятное, сразу твои чаевые удвоятся. А что я могу сказать, если ничего не понимаю? Ну, туфли у нее зеленые, а лак на ногтях в черную крапинку, — это хорошо или плохо? Как комплимент-то сделать? И я придумал отличную вещь: стал покупать женские журналы. Про моду читал, про косметику, всякие там советы женщинам. Заодно и разделы «Психология». Полезное чтение, знаешь! Я такому научился, сам поражаюсь. У меня стали получаться потрясающие комплименты. Смотри: можно просто сказать — у вас красивая сумка. А можно вот как загнуть: у вас сумка от Гуччи? Прекрасный вкус! И тетя польщена, потому что сразу в одном комплименте и марка у нее престижная, и вещь красивая — она ведь никогда не усомнится, что от Гуччи-Муччи может быть уродливо, понимаешь! — и вкус у нее прекрасный. Трех зайцев одним предложением.

— То есть ты им врешь, — нахмурилась Люба.

— Милая, они сами себе врут первым делом. Что с сумкой этой краше стали.

— А ты им помогаешь!

— Вежливость — это всегда ложь. Всё ложь — макияж, одежда, приличия. Иначе бы мы до сих пор заворачивались в шкуры и пукали за едой, — рассмеялся Роман. — Это необходимая ложь, такой общественный договор: говорить другу приятное и улыбаться. И никто не хочет знать, что думает улыбчивый на самом деле. Начнешь просить правду, не дай бог, типа, чтоб не ложь, а ничего кроме правды! — а он тебе как отрыгнет своими мыслями в душу, потом даже душ с хлоркой не спасет.

Люба сдержанно хихикнула.

— А уж в сфере обслуживания, в которой я работаю, комплименты вообще часть ритуала. О чем знают обе стороны. Никакого обмана, совместная игра.

— Значит, ты и меня обманул?

— Когда это я успел?

Люба насупилась и не ответила. Александра с любопытством наблюдала за обоими.

— Дошло... «Миленькой» тебя назвал, ты об этом? Так ты и вправду миленькая. Я теперь в женщинах знаток. Только не умеешь себя правильно подать. Свое тело не любишь, стесняешься его, оно тебе кажется некрасивым, вот и скрываешь его бесформенными майками и штанами.

— И где это ты мою майку рассмотрел? На мне куртка!

— Да ладно, Люб, куртка твоя расстегнута, а у меня глаз наметанный... Ты возьми да юбочку надень короткую, майку в обтяжку, — пусть грудь подчеркнет. Маленькая, зато миленькая...

Они спустились в метро, и шум заглушил их разговор.

Подвальное помещение для занятий своих групп Михаил арендовал у военно-патриотического клуба, расположенного в одном из старых домов в районе Остоженки. Точнее, не все помещение, а спортивный зал.

Люба, Александра и Роман встретились у входа с детективом и Катей.

Кис не понял, отчего здесь оказался Роман. Собственно, он ничего не имеет против присутствия старшего сына, просто непонятно.

— Можно тебя на минутку? — уцепил он жену за локоток.

— Ты из-за Ромки? Я тебе потом объясню. На нас смотрят...

— Уже нет.

Алексей махнул рукой остальным, давая понять, чтобы не ждали. Роман кивнул и, открыв тяжелую металлическую дверь, пропустил в нее девушек.

— Так зачем ты его позвала?

— Хочу узнать его мнение о Любе. У них обоих было неблагополучное детство, он ее поймет лучше, чем мы. Тем более что он прилично разбирается в психологии, хоть и самоучка.

— Ты Любу подозреваешь, Саша?

— Не то чтоб подозреваю...

— Сомнения можно опустить, это фигура по умолчанию во всех гипотезах.

— Хорошо. Столкнуть в окно, как вы сами с Игорем говорили, может даже женщина. При этом у Любы есть ключи от квартиры, а мы знаем: дверь не взломана. Я с ней немного пообщалась в кафе... Она любила Михаила и надеялась, что он будет всегда ее опекать... Или даже однажды ответит взаимностью.

— Этого мало. Что-то еще?

— Характер.

— Расскажи.

— Люба, как я понимаю, из тех людей, которые считают, что им все должны. Вернее, не все, а более удачливые, более богатые, более счастливые... И эта идея портит им жизнь. Они не спрашивают с себя, они ждут, что их проблемами займутся другие. А когда «другие» не дают желаемого, такие люди, как Люба, им мстят.

— Думаешь, она могла Козырева убить?

— Не убить, нет... Разозлиться. И толкнуть — или оттолкнуть, — когда поняла, что Козырев ее не любит и никогда не полюбит. Вряд ли ожидала столь трагического последствия от своего жеста... Ведь ясно, Михаил не защищался: значит, это случилось внезапно.

— Не ясно, Саша, пока не ясно! Это Люба сказала, будто следов борьбы не обнаружили. Завтра я найду подходы в районное отделение и узнаю, что установила экспертиза. Но твою гипотезу принимаю как вариант. И, согласен, Ромка может нам помочь разобраться в ее характере. Пошли!

Алексей толкнул дверь. Остальные — Катя, Люба и Роман — ждали их в предбаннике.

— Люба, Михаил говорил вам о своей работе в Концерне?

— Да. А что?

— Вы знаете, что он там делал?

— Его пригласили для собеседований с персоналом. Там случилось два самоубийства, дирекция обеспокоена. Миша должен был в течение месяца...

Месяца. Разумеется, там ведь огромное количество людей работает... Но Козырев успел отработать только первую неделю.

— Он описывал вам людей, с которыми встречался? Делал какие-то комментарии?

— Вы плохо знаете Мишу. Он никогда не рассказывал о встречах с другими клиентами.

— Спасибо, — обронил детектив. Жаль, что Люба ничего не знает, он надеялся на какие-нибудь дополнения с ее стороны... — Ну что, двинули?

В спортивном зале на матах расположилось около трех десятков человек — кто сидел, кто лежал. Стоял гул голосов, усиленный эхом подвала. Некоторые посмотрели на вошедших с любопытством.

Алексей немного удивился, увидев, что присутствующим за двадцать, некоторым и в районе тридцати. Он почему-то думал, что Михаил работал с подростками. Может, потому, что Люба называла их «ребятами». Хотя, конечно, это слово не зарезервировано исключительно для детей и подростков: в своем кругу мы долго (если не навсегда) остаемся «ребятами», «девочками», «пацанами»...

— Олег! Олежка! — позвала Люба.

Парень неспешно обернулся, встал.

Катя вытянулась и побледнела.

Шум прибоя или шум в ушах? Жар южного солнца или жар вскипевшей крови?

Арно. Ласковый подлец, красивое ленивое животное с гибким сладострастным телом, золотые глаза, как жерло плавильной печи, — горнило, где горела и плавилась ее страсть.

Грубому, мужскому идет изящное, нежное: рыжеватый завиток на сильной шее, массивный серебряный браслет на крупном запястье, пушистые коричневые ресницы. Она подставляла губы, он ресницами их щекотал; она смеялась, он спрашивал: чешутся? Это от желания, чтобы я их поцеловал!

И он целовал.

Потом, под конец, когда уже не оставалось сил и она откидывалась от него в изнеможении, ей казалось, что она, как самая маленькая матрешка, поместилась в тело большой — в его тело. Оттуда невозможно выйти самой, это плен; но было так сладостно в его плену. Она вовсе не собиралась покидать его большое тело. Она уже обживалась внутри, она уже обставляла его, как дом — сюда стол, сюда комод, — она собиралась прожить в нем долгую счастливую жизнь. С детьми и внуками.

Пять недель сияющего блаженства. Пять недель она кричала на весь космос: я встретила свое счастье! Слышишь, Земля? Слышите, планеты? Я нашла его!!!

И вот горячечный бред:

— Арно, я не понимаю... Я видела тебя в кафе с другой женщиной, вы целовались!

— И что?

— Но ты же любишь — **меня**! Ты так сказал!

— Но я же не говорил, что люблю тебя единственную. Я еще много кого люблю, — произнес он невозмутимо.

— Как это?.. Но... ты рассказывал, какая я нео...быкновенная, — слово проговорилось с трудом, оцарапав нёбо своей банальностью. — Что не встречал таких... что я уникальна...

— Это правда. — Он поставил стакан с пивом, который до сих пор держал в руке, браслет звякнул об столик. — Каждая женщина уникальна. И потому необыкновенна. Одно логически вытекает из другого, верно?

Боже, какая потрясающая у него улыбка... Так бы целый день — да какой там день! вечность! — глаз не отрывала, любовалась.

Катя почти не понимала его слов. Она начала разговор с одной-единственной целью: убедиться, что случилось недоразумение, мучившее ее с прошлого вечера, что Арно сейчас все объяснит, все станет на свои места, ее звездное счастье вернется. Но он никак почему-то не объяснял, ничего на свои места не становилось. И Катя задавала все новые вопросы, будто надеялась его подтолкнуть: ну же, ну давай, ну скажи, что все в порядке!

— А что же для тебя тогда слово «люблю»?

— То же, что и для всех.

— О, нет. Любовь — это выбор!

— С чего ты взяла? Романов начиталась? Ваша великая русская литература? Толстой-Достоевский? Это все давно устарело, цыпонька! Читай Бегбедера! Вот где правда современной любви.

— Не правда, нет! Это ложь. Подмена понятий.

— Твое личное дело, что ты об этом думаешь. Я сказал правду: я люблю тебя. Но не только тебя.

— Так не бывает, Арно!!!

— На нескольких жениться — вот как не бывает. Вернее, закон не позволяет. А любить можно сколько влезет.

— Не любить... Спать!

— Заниматься любовью, так звучит приятнее.

— Это секс, чистый секс. При чем тут любовь?!

— Когда я сплю с женщиной, я испытываю к ней чувство любви.

— Но это же не любовь, мерд[1]!

— Ты вкладываешь в данное слово личный смысл. Но это твои проблемы. Я не могу отвечать за тараканов в твоей голове. Скандал меня утомил, а ты разочаровала. Я не хочу повторения. Адьё.

---

[1] Французское ругательство.

...А потом обжигающее чувство стыда. Как можно было оказаться такой наивной, такой дурой, такой... такой... такой слепой! Ведь можно было сразу, сразу опознать в этом теле ненасытное сладострастие, в этих тигриных глазах — охотника! Такие охотятся и употребляют добычу в пищу, — а разве можно любить пищу? Нет, любят — **покушать**, сам процесс, только и всего! Свое удовольствие любят, наслаждение...

Можно, можно было сразу это понять, и нужно! И спасаться бегством, пока не поздно, пока ее не отравило его обаяние. Как же она, Катя, могла так вляпаться, ведь умная девочка! Умная интеллигентная девочка... Наивная девочка, хотя уже двадцать два года, уже пора бы расстаться с иллюзиями...

Но наивность — это не глупость, нет! Неужто ум заключается в том, чтобы подозревать в каждом, кто встретился на пути, подлеца? Мир состоит только из уродов, а если ты вдруг решила, что у человека настоящие чувства, то ты дебилка последняя? Скажите мне, скажите: по нашей планете ходят одни уроды? А не-уроды — это дураки?

Кате хотелось догнать его и залепить пощечину прямо в его холеную небритую щеку. Сказать что-нибудь обидное, унизить, чтобы ему тоже стало больно...

Но ему не станет. У него нет болевых рецепторов в душе. А у Кати их почему-то много, слишком много... Кто из них урод, а?

...А к вечеру ей позвонили и сказали, что Миша погиб. Болевые рецепторы взорвались. И от их атомного разложения исходила смертельная радиация.

...Нет, с Катей не случилось ни нервного срыва, ни кратковременного затмения разума. Она прекрасно поняла, что перед ней не Арно, а совсем другой человек по имени Олег. Просто он был немного похож. Отчасти физически — буйством темно-рыжих волос и звериной желтизной глаз, и даже браслетом, только кожаным, а не серебряным; отчасти тем неуловимым истечением ласковой, обволакивающей энергии, как она теперь знала, обращенной вовсе не к ней лично, а ко всем без разбору женщинам, в плену которой она недавно пребывала. И эта похожесть мгновенно содрала едва образовавшуюся корочку на ране разрыва и обмана.

— Знакомьтесь! — звонко произнесла Люба. Ей явно нравится роль старосты и правой руки Михаила Козырева. — Это частный детектив, Алексей Андреевич; это его жена Александра, она журналистка; это Роман... А это, — Люба выдержала драматическую паузу, — Мишина сестра, Катя.

Раздались восклицания, к Кате протянулось несколько рук для рукопожатия, одна девушка вскочила и обняла ее со слезами, а глаза Олега посмотрели на нее нежно и внимательно, даже немного тревожно, будто она уже была ему небезразлична.

— Ты поосторожней, Кать, — раздался ехидный голосок Любы, заметившей перекрещение взглядов. — Олег у нас влюбчивый, об этом все знают!

— Ничего, — ответила Катя, не отводя взгляда от Олега, — мне такие нравятся.

И она хищно улыбнулась.

Больше ее никто не унизит, больше ее никто не предаст. Теперь ее очередь унижать таких, как эти... *влюбчивые*!

Все уселись в полукруг на маты. Олег подвинулся, жестом приглашая Катю расположиться рядом с ним. Роман приземлился возле Любы, а детектив оказался в центре. Чуть поодаль Александра с некоторым трудом устроила свои длинные ноги и высокие каблуки на пыльном черном матрасе.

— Примите наши соболезнования, — произнес детектив. — Мы знаем, что Михаил был для вас больше чем психолог...

— Больше чем мама с папой, — хмыкнула одна девушка.

— Вика, не остри, — негромко произнес кто-то.

— Разве я острю?

Алексей понял, что «ребята» очень напряжены, видимо, удар для них немалый, они действительно чувствуют себя осиротевшими, и перепалка может вспыхнуть в любой момент. Всем им плохо, и, как нередко случается, они могут начать вымещать свою боль друг на друге... Или, что более вероятно, на пришедших, на чужих. И он поторопился приступить к делу.

— Существует ли вероятность, с вашей точки зрения, что Михаил Козырев покончил жизнь самоубийством? — он обвел глазами присутствующих, давая понять, что ждет ответа от всех.

— Это Любашина версия, — улыбнулся Олег. — Она, добрая душа, пытается меня таким образом от полиции защитить. Там и вправду мужики темные... У меня алиби, я на работе был в эти часы, но они всё копают, под меня и остальных. Для них наркоманы, даже бывшие, — это что-то вроде отходов. Хотя у нас тут не фильмец Тарантино, где граждане опухли от безделья, у нас ребята от плохой жизни пытались уйти...

— А что скажете вы насчет суицида?..

— Не верю я в это. Михаил говорил нам, что «подумывал не раз», но, на мой взгляд, это он так, чтобы... ну, чтобы мы не чувствовали себя ущербными. Он любил свою работу, любил помогать людям, — это было его призвание. А человек, у которого есть призвание, — такой человек жизнью дорожит, согласны? Ребята, давайте говорите, что я тут один за всех!..

Беседа длилась больше часа, вопреки ожиданиям детектива, который надеялся получить ответы всего лишь на пару вопросов. По существу, она превратилась в спонтанный вечер памяти Михаила, — видимо, присутствие гостей, особенно его сестры, вдохновило всех на воспоминания. И чем больше слушал детектив, тем более убеждался, что Козырев — человек неординарный и, что важно, светлый. Не у каждого из нас наберется в ближайшем окружении три десятка человек, которые будут по-настоящему скорбеть о нашей кончине.

Практической же информации было немного. Алексей убедился, что Люба говорила правду: никакой наркоты Михаил не держал у себя дома на случай «ломки» у своих подопечных уже хотя бы потому, что Козырев брал к себе в группу исключительно тех, кто уже слез с иглы. Свою задачу он видел в том, чтобы укрепить их решение, не дать снова скатиться. А еще точнее, он помогал ребятам обрести радость жизни. Не смысл жизни как некую красивую идею — Козырев считал, что нет такой идеи в природе. Каждый находит ее сам, если чувствует в ней потребность, — или не находит, если не чувствует. Главное — научиться ощущать радость.

Вряд ли потенциальный самоубийца способен рассуждать о радости. Конечно же, никаких мыслей о суициде у Козырева не было. Он якобы «подумывал» об этом, но практически никто из группы, кроме Любы, в это не поверил. И историю с религиозными родителями никто не слышал — уже хотя бы потому, что Михаил на эту тему никогда не распространялся. Он чужие истории слушал, а не свои рассказывал.

Так откуда же у Любы возникла эта версия? Она придумала — или Михаил был с ней в особых отношениях? Жалел? В принципе, она была его преданной помощницей, они много времени проводили вместе... Мог лично для нее сочинить эту историю, как сочинял сказки, и рассказать ей в знак особой доверительности. Но могло быть и по-другому: Люба толкнула Михаила в окно, устроила погром в его квартире для отвода глаз и сумела сбежать незамеченной, а потом додумалась обратиться к частному детективу, чтобы он доказал: смерть Козырева является самоубийством! Для чего историю с родителями выдумала...

Хм, натяжки в этой версии есть, конечно. И, признаться, тогда, когда в квартиру пришла Катя, изумление и горечь Любы казались искренними. Но Алексей сталкивался не раз с такими талантами, что хоть на театральные подмостки отправляй. Так что рано Любу из подозреваемых выводить...

Правда, что делать тогда со второй историей — с Ириной, отдавшей Козыреву на сохранение серебряное сердечко со стразами, якобы улику, — непонятно. Люба с ней никак не связана, это звенья из разных цепочек. Впрочем, Ирина могла оказаться обычной мифоманкой с уклоном в конспирологию. Не такой она пост занимает, чтобы иметь доступ к тщательно засекреченной информации... Кстати, что там накопал Игорь насчет самоубийств?

Он открыл телефон, чтоб ему позвонить, и увидел пропущенное сообщение: «Всё перекинул тебе на мыло».

Роман и Катя остались в зале, оживленно беседуя с «ребятами», Алексей с Александрой направились к выходу.

Шел сильный дождь. Крупные капли звонко отбивали чечетку на опавших листьях, и под его хлесткими ударами слетали все новые, шмякаясь мокрыми тряпочками о землю. День еще не погас, восемь вечера, но тучи нагнали сумрак и печаль. Домой, решил Алексей. Хватит на сегодня.

Он прикрыл жену своей курткой, и они побежали к машине.

Олег вышел вместе с Катей. Оказалось, на улице проливной дождь. Он раскрыл зонтик над ее головой.

— Я вас провожу.

Вот-вот! Точно так же действовал Арно. Такие не спрашивают: могу я вас проводить? Нет, они заявляют: провожу. Потому что он сам так решил. А нам, дурам, кажется, что это очень мужественно. Тогда как это просто элементарное отсутствие такта!

Катя разозлилась.

— Может, следовало спросить для начала, не против ли я?

— А вы против? — ей послышалась ирония в его голосе.

— Нет, — сухо ответила она. — У меня нет зонта, а у вас есть.

— Ух, пронесло! — У него шаловливо вспыхнули глаза: ни дать ни взять мальчишка, любимчик класса, уверенный в своей неотразимости. — Куда направляемся?

— Раз вы взялись за мной ухаживать, то сами и придумайте. Домой мне не хочется... Там Миша в каждой вещи, там я буду плакать.

— Я бы предложил погулять, но погода не располагает. Забуримся в кафе?

Они «забурились». При чтении меню Катя ощутила голод, но цены кусались, и она попросила лишь зеленый чай.

— Вам следует поесть, — мягко произнес Олег. — И выпить. Что вы предпочитаете: вино, коньяк, виски? Или водку? Я знаю, вы только что вернулись из Франции, там за едой пьют исключительно вино. Но мы в России, так что не стесняйтесь. Смотрите, у них есть телятина с грибами в сливочном соусе, — по-моему, Катя, вам в самый раз. И к ней отлично подойдет рюмка коньяку.

Естественно, Олег снова решил за нее. Иного Катя и не ждала. Если и есть за что поблагодарить Арно, так это за отличный урок. Она теперь умеет распознавать арнообразные мужские сущности!

Она снова посмотрела на цены. Миша присылал ей каждый месяц фиксированную сумму денег, — лишь благодаря брату она могла позволить себе заниматься живописью. Профессия художника неприбыльная, Катя прекрасно знала, но мечтала, что однажды ее картины начнут пользоваться спросом, и тогда она не только сможет обеспечить себя, но и вернуть деньги брату. Он давал их не в долг, нет, он давал их просто так, помогал. Но Миша помогал и другим, он много тратил (и денег, и времени) на благотворительность, на поддержку «трудной молодежи», хотя сам по возрасту недалеко от молодежи ушел: ему было всего тридцать шесть... Катя уважала дело, которым Миша горел. И верила, что однажды сможет не только вернуть ему потраченное, но и внести свою лепту в его дело.

Олег словно уловил ее сомнения.

— Я приглашаю, — произнес он с оттенком извинения: мол, должен был уточнить в самом начале.

— С какой стати?

— Пожалуйста, Катя, выбирайте.

Он произнес это так, будто хотел сказать: пожалуйста, кончайте валять дурака.

Она напомнила себе, что два часа назад постановила стать стервой, а стервы не стесняются, когда за них платят. Наоборот, принимают это как должное. Стесняются только идиотки — питерские интеллигентки. Пора идти в ногу со временем и становиться развязной и бесстыжей москвичкой!

...Как и большинство петербуржцев, Катя имела предубеждение против жителей Первопрестольной.

— А что ты думаешь о конце света, который нам обещают в декабре?

Роман, как просила Александра, пытался разговорить Любу, — для «любимой мачехи» он был готов на все. Они сблизились в последнее время, часто беседовали о жизни, о людях, о книгах, которые он прочитал, о кино. Оказалось, что в восприятии, в чувствовании жизни у них много общего, но у Александры был еще дар находить слова для простого объяснения сложных вещей. Роман обожал ее слушать и некоторые фразы запоминал, как афоризмы.

— Сколько тебе, восемнадцать? — поинтересовалась Люба. — Малыш страшной сказки испугался?

Роман выглядел очень юным, чему способствовали его нежная белая кожа и тонкие черты лица.

— Ты что, мне больше! Мне уже...

— Да ладно, неужто двадцать? А мне двадцать шесть! Так ты испугался?

— Еще чего! Я в такие штучки не верю. А ты?

— Я тоже не верю. Ну, не совсем... Зато о жизни заставило задуматься. Все у меня вроде как в будущем, все отложено. Мама с детства учила: потерпи, все однажды сбудется... Но где оно, это «однажды»? Когда оно наступит? А если и вправду конец света случится, с чем я покину этот мир? Ни любви, ни семьи... Детей не вырастила, дом не построила... Знаешь, я поняла: надо жить здесь и сейчас — вот в чем правда.

— Но ты же не можешь взмахнуть рукой и получить то, о чем мечтаешь. Так не бывает.

— А если завтра конец всему?

— Успею подумать перед смертью, что не разменивался.

— Утешит?

— Между прочим, если бы конец света случился, то и твои дети погибли бы, как все человечество. Может, «построенный дом» и выстоял бы, но вряд ли бы ты об этом узнала.

— Тоже верно...

Некоторое время они молчали, сидя на матах, и Роман понял, что девушка сейчас уйдет. Однако темы для разговора не находилось, Люба не была тем человеком, который располагает к общению. Энергетически закрыта, интроверт. Как он сам еще недавно...

Ну, пусть уходит. Что поделать. Нельзя же человека вытаскивать из самого себя насильно...

 Когда будет готов (если будет), то сам себя вытащит. Как он, Роман.

И все-таки он сделал попытку.

— Ты его любила...

Роман не столько спросил, сколько констатировал.

И вдруг Любу прорвало.

...Когда она слушала Мишу, все было чудесно: она понимала его мысли, готова была их воплотить в жизнь, но как только он уходил, просто физически отдалялся от нее, то будто свет гас. Все становилось скучным, ненужным и плохим...

Козырев стал для нее чем-то вроде наркотика, думал Роман, рассеянно слушая Любу, который замещает дофамин, так называемый «гормон удовольствия». Проблема в том, что, получая наркотик, мозг полностью прекращает вырабатывать дофамин самостоятельно. Но Михаил, поскольку ответных чувств к Любе не испытывал, давал ей лишь скудные «дозы». И у нее начиналась ломка, когда его не было рядом с ней...

Это только сравнение, конечно, но очень похоже.

— ...И кажусь себе такой никчемной, — говорила Люба, — такой ненужной...

Начало фразы Роман не слышал.

— Я тоже так раньше думал о себе. Но потом...

Он мог бы рассказать Любе, как принимал свою потребность в любви за жажду мести; желание все исправить — за желание все разрушить. Как много он сделал ошибок, и сколь многому он с тех пор научился...

Но не стал. Ни к чему ей это знать.

— Но потом, — продолжил он, — разные события в моей жизни... и разговоры с умными людьми... помогли мне понять, что все мы «кчемные». Все мы влияем на ход событий, хотим того или нет. Каждый наш поступок отпечатывается в мире, даже каждый взгляд. Хочешь или нет, но ты влияешь тем самым на его судьбу.

— На чью? — не поняла Люба.

— Мира. Твое слово, взгляд или улыбка, твой поступок — все это несет в себе заряд энергии, доброй или злой. Он впечатывается в чужую энергию, как метеорит в землю, и влияет на ее траекторию, а главное, на ее полюс: плюс или минус.

Так говорила Александра, Роман запомнил этот «афоризм», но считал его уже своим собственным.

— Я слышала подобное... Начальник наорал на подчиненного, тот наорал на жену, она наорала на детей, дети избили кого-то во дворе... Так, что ли?

— Оно самое. Ты доброй улыбкой одарил — поднял настроение. Может, кому-то помог справиться с депрессией, кому-то придал уверенности в себе. Ты каждый день и каждый час множишь на земле либо добро, либо зло. И выбирать — тебе.

— Красивая болтовня!

— Как хочешь. Твое право решать, болтовня это или нет. Но пока ты будешь смотреть на всех унылой букой — и другим сделаешь хуже, и себе. От твоей депрессивности все вокруг впадают в депрессию. Поэтому люди избегают общаться с тобой: кому нужны отрицательные эмоции? Даже последняя дрянь, сеющая вокруг себя исключительно зло, и та хочет иметь для себя эмоции положительные!.. Только Михаил был с тобой нежен и терпелив, но он, как я понял, слушая сегодня твоих товарищей, был выдающимся человеком. Уже хотя бы потому, что обладал очень сильной и щедрой энергетикой. Таких мало. А обычные люди станут бежать от тебя до тех пор, пока ты будешь считать мои слова болтовней.

Люба одарила его недобрым взглядом и вскочила, но сразу же покачнулась на мягких матах, оступилась, чуть не упала. Роман поддержал ее.

— Да иди ты!.. Тоже мне, учитель нашелся! Молокосос! Что ты понимаешь в жизни? С чего ты взял, что разбираешься в людях?! По какому праву меня судишь?!

— Не сужу, Люба... Только хотел...

Роман собирался сказать «помочь». Но не закончил предложение. Действительно, его юный возраст в глазах тех, кто старше, выглядит почти как недостаток, если не сказать — как инвалидность...

Он фразу так и не закончил. Люба продолжила:

— Тебя все любят, верно? Ты красивый, к тому же такой очаровашка, прямо хоть в кино...

— Меня не все любят, — перебил ее Роман. — Меня в детстве ненавидел мой отец. Вернее...

— Алексей Андреевич? Тебя ненавидел? Ладно врать-то!

— ...вернее, тот человек, которого я считал своим отцом. Он меня ненавидел, и я стал ненавидеть всех. И... сделал... сделал зло... Мне самому страшно вспоминать, что я сделал.

— А почему тебя ненавидел тот, кого ты считал отцом?

...Они еще долго говорили с Любой и расстались почти друзьями.

Олегу с Катей принесли напитки и еду — очень вкусную, надо заметить. Но разговор не клеился. Приняв судьбоносное решение сделаться стервой, Катя вдруг замкнулась: она не представляла, как себя вести, чтобы соответствовать этому образу. Да и зачем? Ради чего? Что она хочет доказать, кому? Какие глупые, пустые, ненужные мысли. Миша умер, а она...

Ее подхватила волна стыда. Катя прижала холодный стакан с водой ко лбу.

Олег посмотрел на нее сочувственно. И заговорил о Мише — то ли иной темы не нашел, то ли считал, что его сестра именно в ней нуждается.

Он, конечно, не понимал, что с Катей творится, да она и сама с трудом понимала. Когда от тебя уходят близкие люди — в другую, новую для них жизнь, где тебе нет места, или в смерть... то ты не о них на самом деле горюешь: им ведь не плохо, они не страдают! Страдаешь — ты. Пропасть разверзлась именно в твоей душе, и это ты летишь в нее с утра до ночи и с ночи до утра, наяву и в кошмарах. Это тебе больно, не им! И почему должно было так случиться, что и брат, и мужчина, которого она любила, которого мыслила рядом с собой на многие годы вперед, бросили ее почти одновременно? Оставив ей лишь больное дыхание одиночества? И гадкий привкус предательства?

Неожиданно она вспомнила версию самоубийства, озвученную Любой. Нет, о нет — Миша не мог покончить с собой! И у нее, у Кати, есть одно очень веское доказательство: самоубийством он бы предал ее, сестру. Он бы поступил подло, как Арно. А это — невозможно!

— ...Миша считал, что есть только понятия добра и зла — два ориентира в жизни, два полюса, влияющих на магнитное поле души, — говорил тем временем Олег, — но нет плохих и хороших людей. В них все намешано, и его задача была помочь доброму в душе человека. Я даже как-то сказал ему: «А не принимаешь ли ты, часом, себя за бога?»

Олег засмеялся, но Катя, погруженная в свои мысли и слушавшая вполуха, даже не улыбнулась.

— За бога?

Он бросил на нее понимающий взгляд и, помолчав, продолжил:

— Я им восхищался, Катя. Сам бы я так не смог. Миша любил людей, каждого человека, и никого не оценивал. Не оценивал — потому и не судил. Люди не могут без оценок — они соперничают во всем, они отталкиваются от тех, кого классифицируют ниже себя, чтобы взобраться повыше, все время оглядываясь вниз: далеко ли я ушел? Но разве можно любить того, в кого упираешься каблуками? Это ведь уже не человек, это подставка, ступенька...

Катя рассеянно слушала и пила коньяк. Она узнавала слова брата, даже его интонации, и ей было горько.

— Он собирался написать книгу, вы знаете? — продолжал Олег. — Жаль, не успел. Он делал много записей, анализировал каждую свою встречу, заглядывал в каждую душу. Материала накопилось столько, что на несколько томов набралось бы. Я не был его близким другом, но как-то он мне дал почитать свои комментарии.

 Знаете, Катя, я далек от психологии — я веб-дизайнер, но проглотил их, как детектив! Поразительно, как Миша умел...

— А кто был его *близким* другом? — вдруг очнулась она.

— Никто. Михаил ни с кем близко не сходился, ни с мужчинами, ни с женщинами. Наверное, был слишком занят своей работой... Любил ее больше всего. Он из племени подвижников.

— А Люба?

— Жалел ее. Просто жалел, и всё. Она хорошая девчонка, но ей не очень повезло в жизни... Давайте возьмем еще коньяку?

Катя согласилась. Она немного расслабилась, коньяк мягко разогревал кровь, было тепло, и казалось, ее боль, словно хрупкую елочную игрушку, замотали в мягкую вату и бережно положили в коробку. Коробка эта не замедлит открыться, когда Катя окажется наедине с собой, но сейчас она была рада этой анестезийной передышке. Она попросила рассказать еще о брате, и Олег продолжил свой монолог, который она по-прежнему едва слушала, ловя лишь иллюзорное ощущение присутствия Миши. При всей своей зыбкости, оно давало ее душе хоть какое-то утешение... Словно она получила возможность с ним попрощаться перед тем, как он окончательно уйдет в небытие. Вот он сидит совсем рядом, обнимает за плечи, как бывало в детстве, и его родной голос звучит почти наяву...

— Вы спите, похоже?

— Я?

Катя открыла глаза и с удивлением осмотрелась. Ах да, это Олег... А Миша? Где он?!

А он умер. Это значит: больше никогда не придет. И не обнимет. И голоса его она никогда больше не услышит.

Хотелось заорать. Что-нибудь сломать, разбить.

— Прошлой ночью я спала всего лишь один час... В самолете, — проговорила она, тряхнув головой, прогоняя наваждение.

— Пойдемте, я вас провожу.

— Я сама доеду, спасибо.

— Не доедете. Бессонная ночь и две рюмки коньяку. Пойдемте, пойдемте, не спорьте.

Он подал ей руку, помогая встать, и Катя, пошатнувшись, поняла, что Олег прав: бессонная ночь и две рюмки коньяку плохо сочетаются.

Олег вел ее к выходу, невесомо поддерживая за плечи, и Кате снова казалось, что ее обнимает брат...

В такси она заснула, и снился ей Арно. Он наматывал ее волосы на палец и нежно говорил голосом Миши: «Прости, Катёнок, что не успел научить тебя разбираться в людях. Но ты сумеешь, ведь это несложно, нужно только слушать, как они говорят, и смотреть, как двигаются при этом их лицо, руки...»

Она проснулась в слезах. Такси стояло у подъезда.

У дверей Мишиной квартиры Олег замешкался, затоптался, не зная, войти ли вслед за девушкой и помочь — она ведь едва держалась на ногах — или сразу откланяться. Однако Катя, воткнув ключ в замочную скважину, вдруг резко обернулась к нему:

— Олег, спасибо вам за этот вечер... И за то, что рассказали мне о брате. Но теперь уходите.

— Я, собственно, и собирался. Но, может...

Катя не дала ему договорить.

— *Может*?! Ничего *не может* быть! Вы считаете, что если вы...

На этот раз ее перебил Олег:

— Похоже, вы что-то не то подумали! Это из-за слов Любы, да? Насчет моей якобы влюбчивости? Она сильно преувеличила, уверяю вас.

— Ничего я не подумала! — взорвалась она. — Но когда мужчина проводит вечер с женщиной, за который к тому же заплатил, он считает, что ему положено продолжение!

Лицо Олега вдруг приняло обеспокоенное и сочувственное выражение, словно он озаботился состоянием ее души. Но Катя знала этот трюк, Арно владел им в совершенстве: это просто отрепетированная маска, растяжка глазных и губных мыщц в нужном направлении — ровно настолько, чтобы создать иллюзию искренности. Вот об этом Миша и говорил в ее коротком сне, вот это и нужно научиться распознавать:

симулякр. Недаром автор этого термина был французом! Как Арно!

— Эти штучки со мной не пройдут, можете не трудиться!

— Катя, Катя, успокойтесь. Я провел с вами вечер потому, что вы — сестра Миши. Человека, которого я глубоко уважаю. И моя забота о вас — это, если угодно, дань уважения ему. Вам не о чем волноваться.

— Вот и отлично! Бай.

Она открыла дверь и ступила в темноту, протягивая руку к выключателю.

— Спокойной ночи, — проговорил ей вслед Олег.

Неожиданно раздался сильный грохот, Катин вскрик, дверь резко распахнулась, ударив Олега так, что он от неожиданности отлетел к стенке, лишь изумленно провожая глазами человека в черно-красном мотоциклетном шлеме, слетавшего через две ступени вниз по лестнице.

— Катя, что с вами?

Олег ворвался в квартиру, включил свет. Девушка лежала на полу, глаза закрыты, на лбу, у кромки волос, кровь.

— Катя! — Олег потряс ее. — Катя, очнитесь! Катя... Да что же это...

Он быстро набрал «Скорую», затем позвонил Любе:

— Скажи своему детективу, на Катю только что напали в Мишиной квартире!!!

Алексей за этот долгий день изрядно устал: дважды мотался в кабинет на Смоленку, дважды в Мишину квартиру в Матвеевское — и это все по пробкам! — потом долгие разговоры в клубе... К себе на ВДНХ они с Александрой приехали лишь в десятом часу, отпустили няню и поужинали в обществе своих двойняшек, Лизы и Кирюши. Только собрались малышей уложить да посидеть потом вдвоем на кухне за бокалом хорошего красного вина, как нате вам, звонок от Любы: на Катю напали! Придется снова ехать на другой конец города, в Матвеевское...

Он все же решил для начала поговорить с Олегом, для чего и спросил номер его телефона.

Выяснилось следующее: Катя пришла в сознание и даже, похоже, не очень плохо себя чувствует, не считая сильной головной боли... Но наверняка сотрясение мозга, и больницы ей не избежать, рентген надо сделать. «Скорая» уже тут, примчалась мгновенно — врачи были на вызове по соседству. Напал на нее некто в мотоциклетном шлеме, красно-черном... К этому Олег ничего не сумел добавить. Куда «некто» убежал, сел ли на мотоцикл да какой — он не видел, он не смотрел, он к Кате бросился.

— Где вы сейчас?

— Стою возле машины «Скорой», они Катю туда укладывают... Подождите.

Алексей слышал, как Олег говорил с кем-то, видимо, с врачом.

— Мне ехать с ней не позволяют, — вернулся к трубке Олег. — Уже ночь, все равно в больницу не пустят... Велят с утра звонить, может, и выпишут ее завтра, если серьезных травм не обнаружится... Вы представляете, кто это был? Кто мог напасть на Катю?

— Нет.

— Это связано со смертью Миши? В полиции на меня орали и требовали признания в ограблении и убийстве, но я все же понял, что они сами не знают, убийство ли это... А вы как считаете?

— Потом, Олег. У меня пока очень мало фактов. К тому же время позднее, вам лучше отправиться домой. Завтра за Катей надо... Вы ведь ее заберете?

— Это Мишина сестра. Какие разговоры!

«И премилая девушка», — хотел добавить детектив, но счел подобную реплику неуместной.

— Вот и отлично. А я завтра, как только Катя вернется домой, к ней подъеду, посмотрю, что в квартире происходит. Или, если ее в больнице задержат, Любу попрошу дать мне ключи.

— А у меня Катины остались. Она их уронила, когда ее ударили, я подобрал, уходя.

— Да? В таком случае, Олег, не могли бы вы вернуться в квартиру? Этот человек зачем-то в нее залез, нам нужно понять, что он искал.

— Уже иду. Перезвоню вам.

— Нет, оставайтесь на связи.

— Ладно... Я уже в лифте... Вот, приехал. Минутку... Где тут свет включается... А, вот... Ого, ну и бардак тут! — Олег даже присвистнул.

И Кис понял, что ехать придется: парень не видел, что творилось в этой квартире раньше, и сравнивать ему не с чем.

— Вы не торопитесь, Олег?

— Домой? Нет, невзирая на ваши уговоры, — усмехнулся тот.

— Тогда ждите меня. Я еду.

Алексей поцеловал три любимых носика и вышел в ночь.

Глава 4

СУББОТА

Спал от силы пять часов (вместо хороших-полезных восьми!), и вот опять за баранкой, опять в пробке! Ну что за жизнь, едрить твою...

Так жаловался на судьбу детектив Алексей Кисанов, крутя баранку своего джипа. Конечно, лукавил: судьбу эту ни на какую другую он не променял бы. В середине девяностых Алексей, не выдержав беспредела, творящегося в органах, подался на вольные хлеба, в частный сыск. Поначалу бедствовал — клиентов почти не было. Народ в ту пору только по иностранным книжкам имел представление о подобной профессии и даже не подозревал, что сия экзотика уже взрастает под боком. Но потихоньку-полегоньку его имя, как заветное слово, стало передаваться из уст в уста, а там и пресса подсобила, описав несколько его расследований. Уж не говоря о том, какую рекламу сделала ему одна очаровательная девица, умыкнув его из телестудии в прямом эфире, за которым следила чуть не вся страна![1]

В общем, через некоторое время Алексей вздохнул свободно: он любил сыск, получал истинное наслаждение от разгадывания шарад, и ему за это прилично платили. А что может быть лучше любимой, при этом хорошо оплачиваемой работы?

Работа, однако, даже любимая, имела свои нудные стороны. Как шутила Александра, когда была беременна: «Чтобы ребеночка родить, надо с пузом походить». Ну да, с бременем — откуда и слово «беременность», собственно. Нудной же стороной для Киса на сей раз являлся даже не недосып, а предстоящее общение в РУВД. Он решил ехать туда без страховки, без звонка с Петровки — вдруг повезет, мужики кочевряжиться не станут и дадут почитать дело? В конце концов, попросить своего друга стародавнего, Серегу Громова, с которым когда-то начинал в «убойном» (а теперь Серега там полковником и начальником), детектив всегда успеет.

Он выключил «Радио-джаз», достал сотовый и набрал номер Игоря. Вчера, в силу позднего времени, он парнишку тревожить не стал, — тот встречался с Кристиной, своей девушкой, а Алек-

[1] См. роман Т. Гармаш-Роффе «Ведьма для инквизитора», издательство «Эксмо».

сей был деликатен в чужих сердечных делах. Но сейчас следовало поставить ассистента в известность о ночных событиях.

— Такие вот дела, — подытожил детектив рассказ о нападении на Катю и своем визите в квартиру Михаила.

— Она пришла в себя?

— Да, все нормально, Олег мне уже звонил. Легкое сотрясение мозга. Он привезет ее домой после утреннего обхода.

— Так что ты в квартире обнаружил? И обнаружил ли что?

— Вчера днем я заметил, что одна полка в шкафу спальни не была обыскана. Я ее просмотрел, и мы с Катей все опять сложили на место. Не успел тебе вчера сказать, да и значения не придал... Вот эту полку и обыскали. Кроме того, разворошили антресоль и разгромили кухонные шкафчики. То есть исследовали то, что не успели в день смерти Михаила. К слову, это подкрепляет версию о том, что его убийство было случайностью: вор не закончил обыск, а после падения Михаила из окна оказался вынужден покинуть квартиру. Это явно не входило в его планы.

— Искали сердечко?

— Наверное. Скорей всего.

— Ты посмотрел его фотографию, которую я тебе вчера переслал?

— Нет. Хотел после ужина, да не успел из-за всей этой истории с Катей. Ты в нем нашел что-то особенное?

— Не-а. Кис, а вдруг мы зря за него уцепились? И смерть Михаила Козырева с ним не связана? Может, вор искал редкую коллекционную монету? Или марку? Которая стоит миллион?

— Может, может. У тебя есть версия получше? Не зависай, вопрос риторический. Я сейчас везу в лабораторию мраморную пепельницу, которой Катю ударили. Если ты обратил внимание, она в прихожей на тумбочке стояла, в ней лежали ключи. Так вот, на пепельнице остался след Катиной крови, с краю немного смазан. На глаз отпечатка не видно, вернее, есть фрагмент узора, но мне сдается, что от кожаной перчатки. Пусть проверят. Или вдруг генетический след обнаружат. Мало ли, вор вспотел от страха, когда заслышал звук ключа в двери, или слюну уронил...

— Когда ответ дадут?

— Обещали в понедельник.

— А сегодня суббота... У нас не горит?

— Пока не знаю. Но за воскресенье двойной тариф, а мне пока никто расходы не оплачивает. Так что я шиковать не стал.

— О, с этим я глубоко и широко согласен! — неуважительно заржал Игорь. — А скажи-ка, заметки о самоубийствах в Концерне ты тоже не смотрел, я правильно понимаю?

— Ты на редкость догадлив.

— Ладно, будет тебе сюрприз.

— Да? А что там?

— Не спрашивай. Сюрприз так сюрприз!

— Кончай дурака валять, а?

— Я вот еще что хочу понять: почему вор явился именно в это время? Он ведь рисковал!

— Это я и хотел с тобой обсудить. — Алексей понял уловку ассистента — смену темы, но настаивать не стал. Он и сам любил сюрпризы. — Почему вор явился вчера, объясняется легко: с приездом Кати сняли печати с двери квартиры. Однако почему так поздно?

— Когда она вернулась домой?

— В десять вечера с копейками. Олег привез ее после ресторана на такси, добрались быстро, без пробок.

— Так... А я ушел где-то в восемь из квартиры. Пока читал материалы по самоубийствам, пока искал снимок сердечка, уйма времени ушла.

— Видимо, кто-то следил за квартирой и выжидал, когда она опустеет.

— Похоже на то. А потом принялся там копаться, да и закопался. Помнишь, мы обратили внимание на то, что все было очень *тщательно* пересмотрено? Грабитель продолжал в том же духе, по штучке, по вещичке все перебирал...

— Олег с ней останется?

— Не знаю, — удивился Кис. — Это вроде их личное дело.

— Шеф, ну ты даешь! Я же не про личное. Кате опасно там быть одной! Вдруг к ней вломится вчерашний вор?

— А, ты об этом... Не вломится, не волнуйся. Вчера он либо сердечко нашел, либо убедился, что его в квартире нет.

— Хм... А если Катя его спугнула раньше, чем он заглянул в бачок унитаза, вскрыл пол и раздолбил стены?

— Хороший сценарий. Для плохого кино.

— Я вообще-то пошутил.

— Так и я пошутил.

— Ну ладно, раз ты уверен...

— Игорь, мы о чем только что говорили? О том, что вор специально выждал, выследил, когда опустеет квартира! Полиция смерть Козырева считает убийством. Зачем же ему еще раз привлекать к этой квартире повышенное внимание? И лезть туда при хозяйке? Он начнет дверь отпирать, а Катя успеет «02» набрать. Или завизжит, соседи услышат. И дальше ему придется что-то с ней делать, чтобы не мешала поискам, — то ли бить, то ли убивать, то ли в окошко выталкивать? Из которого в начале недели выпал ее брат? Тут даже самый тупой мент сообразит, что дело не в убийстве, а в самой квартире! Сделают обыск, и сердечко, если оно еще не у вора, изымут, чтобы приобщить к делу. Женское украшение при полном отсутствии женских вещей, — на него обратят внимание. И что, вору тогда из полиции его выковыривать? Нет, деть мой, не сунется грабитель к Кате, пока она там.

— Убедил. А потом ты куда, Кис?

— После лаборатории в РУВД. Попробую с мужиками переговорить.

— Лучше бы ты поддержкой Петровки заручился, — вздохнул Игорь. — Ведь в штыки примут, сам знаешь! Частный детектив, буржуй. От зависти поржавеют в мгновение.

— Если в штыки, тогда и заручусь. А пока рискну.

— Ну-ну, флаг тебе в руки... — хмыкнул Игорь.

— Ты не расслабляйся, дружок. Найди адрес Ирины Петровны Липкиной да поезжай к дому. Глянь, есть там кто или она с мужем в отпуск отправилась. А ежели муж дома — на что шансы имеются, поскольку сегодня у нас суббота, — то побеседуй с ним аккуратно. Ничего ему не рассказывай, естественно; сочини хорошенькую историйку, ты это умеешь, но постарайся выяснить, не было ли у нее неприятностей любого рода. Он может что-то знать. Заодно наличием детей поинтересуйся. Если есть какое чадо, особенно маленькое, то где оно: с мамой улетело отдыхать или дома осталось.

— А что это меняет?

— Мамам свойственно брать детей на море с собой. Ежели чадо существует и с папой осталось в Москве, то это дополняет идею поспешного бегства. Хотя, конечно, матери разные бывают...

Попав в пробку — весьма щадящую на этот раз, выходной все-таки! — Алексей открыл электронную почту, загрузил изображение сердечка. Никакого озарения на него не снизошло, все, как в описании Михаила: серебро (или другой белый металл) со стразами (вряд ли бриллианты), цепочка. В чем же его ценность? На нем чьи-то отпечатки? Но тогда бы Ирина передала его Козыреву в пакетике да предупредила бы, однако в описании их встречи ни слова об этом. И сам Козырев крутил его да вертел, рассматривал, фотографировал. Теперь ни следа криминальных отпечатков на нем не осталось... Если они там были, конечно.

Попав в очередную пробку, Кис открыл ссылки. Некоторое время читал короткие заметки, поглядывая на дорогу. О самоубийствах в Концерне говорилось скупо, имена и статусы не назывались, лишь обтекаемо: «Погибший занимал руководящую должность». Один кинулся под поезд метро, другой из окна выбросился... Надо же. Знакомо.

Ага, вот и он, Игорев сюрприз! Ссылка вела на совсем уж «желтый» сайт, не вызывающий доверия, однако в материале говорилось о **третьем** самоубийстве сотрудника Концерна. Причем случившемся в прошлую пятницу, в тот день, когда Михаил Козырев встречался с Ириной. В тот день, когда она умотала в отпуск.

В статье — тоном весьма издевательским, а с учетом темы смерти, то попросту похабным, говорилось о «вирусе суицидов», от которого «вянет цвет отечественной экономики». Ни имени, ни должности очередной жертвы «вируса» не упоминалось. Закончил он свою жизнь под колесами дачной электрички, оставив перед смертью записку, в которой просил прощения у близких.

Игорь прислал только одну ссылку на третье самоубийство, значит, других не нашел. В Интернете парень ас, то есть других материалов и нет. Можно ли «желтухе» доверять? Кто его знает.

Допустим, это правда, тогда Концерн задавил всю более-менее подконтрольную прессу, а эту то ли не взял во внимание, то ли там сидят круто-независимые журналисты.

Допустим, это ложь, поэтому серьезные издания и не написали. А «желтуха» пользуется непроверенными источниками. А то и сами там сочиняют.

М-да. Что тут скажешь... Хотя кое-что и скажешь, пожалуй: Кис бы сильно удивился, узнав, что сотрудники Концерна на метро ездят. А вот если кто-то позвал его в метро на встречу... Да столкнул с перрона под приближающийся поезд... Это даже легче, чем столкнуть в открытое окошко.

Кис снова открыл снимок сердечка. В письме Игорь приписал, что не нашел никаких следов отправки этой фотографии кому бы то ни было. Возможно, Михаил в последний момент вспомнил, что Ирина заклинала никому не говорить о нем... Да что же в нем такого, черт побери?!

Или — ничего? И они зря за него уцепились, как выразился Игорь?

Подобного поворота не мог предвидеть ни Игорь, ни даже сам Алексей Кисанов. «Частный? Детектив?! Вот счастье-то привалило! Держи, тут вся папка, если дело размотаешь, с меня бутылек! — заявил ему начальник РУВД. — Вон там стол пустой, видишь? Располагайся, детектив! Чайку захочешь, скажи! Но если накопаешь чего, мне доложишь!»

Кис охотно расположился и просидел больше часа, вчитываясь в документы. Судебно-медицинский эксперт заключил, что причиной смерти явилось падение из окна (травма черепа, несовместимая с жизнью). Прижизненных увечий он не обнаружил, то есть Михаила не били, не пытали, и следов борьбы не имеется, и под ногтями чисто, и одежда не порвана. В крови нет ни алкоголя, ни наркотических средств, ни признаков снотворных и прочих лекарств.

Отчет был составлен на удивление полно и профессионально, и детектив счел, что личная встреча с судмедэкспертом не понадобится.

Выходит, Михаила все-таки столкнули. Или он сам нечаянно упал: подоконники в его квартире довольно низкие, и, предположим, он отступал от вора лицом к нему, а спиной к окну... Особенно если вор держал в руке пистолет или нож.

Или если это была Люба, набросившаяся на него с кулачками... Она любила Михаила безответно, у нее накопились к нему упреки. Но не драться же с ней... И Козырев отступил. Только не рассчитал шаги.

Все выглядит неплохо в версии с Любой, лишь одно непонятно: что она могла искать в его квартире? К сердечку она отношения не имеет, его Михаилу дала Ирина... Для видимости? Но ей такая «видимость» совсем ни к чему, это мешает ее версии самоубийства. Или Алексей что-то упустил? Если продолжать разматывать эту гипотезу — Люба, выходит, вчера снова заявилась туда в отсутствие Кати! Зачем? Поджидала девушку? И при этом раздобыла мотоциклетный шлем, который использовала в качестве маски? Потом, когда та вернулась домой, пестукнула ее по голове тяжелой мраморной пепельницей — для этого особой силы не надо — из ревности? Чтобы даже память о Мише не делить с его сестрой?

Ну нет, это уж совсем бредовая версия. Совсем-совсем. Какая ревность? Там ведь недосмотренные вещи переворошены, там что-то искали! И если искала Люба, то... Вдруг все-таки сердечко? Вдруг она связана каким-то образом с Ириной Липкиной? Или с Концерном? Она бухгалтер на каком-то предприятии, но на каком? Алексей не поинтересовался до сих пор, но теперь придется...

Он вернулся к показаниям свидетелей. Консьержки в подъезде в тот день не оказалось: их всего трое, но одна уволилась, и понедельник оказался пустым, бесконсьержным. Всем соседям задавали одинаковые вопросы: кто входил в подъезд в течение дня и кто из него выходил непосредственно после падения тела из окна.

Нет, никого, похожего на Любу, соседи не видели в день смерти Михаила Козырева, ни входящей, ни выходящей. Из чего не следует, что ее там не было, к слову. Не всех же видят соседи... Заметили лишь красивую блондинку, но она вышла из подъезда незадолго до падения тела. А вот после из двери выбежал как раз тот парень, который якобы похож на Олега.

Алексей нашел его описание: рост примерно сто восемьдесят, шатен, светло-коричневая кожаная куртка.

Ну, при желании темно-рыжие волосы можно считать цветом «шатен», конечно... По фотографии свидетель Олега не опознал — видел того парня мельком. Сосед тогда еще не знал, что случилось — паника поднялась буквально несколько секунд спустя, — а тогда он просто шел домой и ни на кого внимания особо не обращал.

В протоколе допроса Олег утверждал, что кожаной куртки у него нет. Да хоть бы и была, разве одна такая в Москве?

Несколько более странно то, что никто из жильцов не признал этого парня, будто он ни к кому и не приходил. Из чего полиция и сделала вывод, что явился он по душу Козырева. Но Алексей был уверен, это не Олег: он достаточно пообщался с ним вчера и имел основания для оной уверенности. А парень... К любовнице он приходил, как пить дать. К замужней женщине. Вот она и не призналась.

Зато Люба... Люба вполне могла отсидеться на верхних этажах, пока шум не утих. И выйти потом, как ни в чем не бывало. О более позднем времени полиция соседей даже не спрашивала.

...Минуточку... Минуту-минуточку! *Блондинка*! Ведь Люба ее упоминала! И сказала еще, что знает о ней от следователя. Да только зачем следователю говорить Любе о какой-то блондинке, которая вышла из подъезда незадолго **до** падения тела из окна?! Она не подозреваемая, она вообще случайный персонаж в этой истории, никому нет до нее дела!

Вот это, граждане, уже интересно. Преинтересно даже!

Детектив просидел еще полчаса, дочитав папку до последней страницы — так, на всякий случай, поскольку был убежден, что самое главное он уже узнал. Зашел к начальнику, поблагодарил, пообещал немедленно поделиться плодами своего сыска, как только они созреют.

Выйдя из темного и плохо освещенного здания РУВД в сияющий полдень, он дохнул полной грудью. Погода была на загляденье: небо синее, солнце яркое и теплое, несмотря на прохладу. Словно дружеская рука протягивалась через холодный воздух и ласково трепала по щеке.

Забравшись в джип, он первым делом позвонил Любе. Сегодня суббота, что очень кстати — девушка оказалась дома и не возражала встретиться с детективом. Он предложил ей варианты на выбор: он подъедет к ней домой, она подъедет к нему в кабинет на Смоленку или встреча в любом кафе в центре. Люба, после бесплодной попытки выяснить у детектива, о чем пойдет речь, выбрала почему-то вариант кафе, хотя из Кунцева ехать в центр не ближний свет.

Ну что ж, хозяин — барин. Иные люди (а особенно женщины) стесняются своего жилища: у одних кавардак, другим за бедность неловко, хотя кому какое дело? Детектив — не подруга, которая начнет потом перемывать хозяйке косточки, ему до фени, чисто там, или богато, или... Однако людям это не втолкуешь... Впрочем, встречались Алексею и другие чудаки — полная противоположность первых, они охотно зазывали его к себе, хотя на их месте лично он постыдился бы: квартира загажена, вонь стоит — хоть нос зажимай. Право, иной раз пожелаешь людям толику комплексов, ибо полное их отсутствие паршиво пахнет...

Они встретились на Остоженке, недалеко от клуба, где проводил занятия с группами Козырев. Видимо, Люба знала это кафе, заходила туда с Михаилом или с «ребятами».

Так и оказалось, судя по приветственному жесту официантки.

— Мне капучино, Нин, как всегда.

Алексей заказал эспрессо и, как только официантка отошла от столика, приступил к делу.

— Вам не доводилось видеть у Михаила небольшую вещицу, украшение: серебряное сердечко со стразами? — И, наблюдая, как стремительно побледнела Люба, детектив добавил, как добил: — На цепочке.

— Нет!

Она ответила очень решительно, но люди не бледнеют так сильно без причин. Да и решительности в голосе было куда больше, чем требовалось. Однако давить Алексей не стал.

— Вы сказали, что работаете бухгалтером. Где, можно узнать?

— У меня частные клиенты, работаю дома... А почему вы спрашиваете?

— И кто среди ваших клиентов?

— Я вела Мишины дела, по кабинету и по группам.

— Помнится, вы говорили, с группами он работал бесплатно?

— Практически. Но нужно платить за аренду, а иногда Миша устраивал для ребят экскурсии или походы. На это и шли деньги спонсоров.

— Кто выступал спонсором?

— Одна благотворительная организация. Мы мало тратили денег, недорого ей обходились. Самое дорогое — это Мишино время, но он за это ничего не брал, я вам уже сказала.

— Случаем, эта организация не Концерн?

— Нет, это фонд поддержки самоубийц, называется «Жизнь продолжается».

— Кто его учредил?

— Я не занимаюсь делами фонда.

— Среди других ваших клиентов нет работников или подразделений Концерна?

— Алексей Андреевич, отчего такие вопросы?

— Извините, Люба, но в данный момент вопросы задаю я.

— Так говорят в полиции.

— Надеюсь, до нее не дойдет, — намекнул детектив на худший поворот. — Так что насчет пресловутого Концерна?

— Нет.

— Допустим...

— Не «допустим», а НЕТ!

— Хорошо. Вы упоминали блондинку, вышедшую из подъезда Козырева в день его смерти...

— Не помню. Возможно.

— Зато я помню ваши слова. И знаю из показаний соседей, что эта женщина вышла из подъезда **до** смерти Михаила. Как вы могли ее видеть? Вы там находились в тот момент? Вы шли к Козыреву? Вы его столкнули в окно?

Цвет лица, начавший было восстанавливаться, снова рухнул до нулевой отметки, за которой больше нет красок, только снег и лед. Люба вытянула шею, задрала подбородок и покрутила головой, будто для разминки. «А на самом деле для того, чтобы не встречаться со мной глазами», — понял детектив.

Наконец Люба опустила голову.

— Шея болит, — она натужно улыбнулась, — продуло на сквозняке... Полиция говорила о блондинке, я просто слышала и в разговоре с вами упомянула. Наверное, я видела ее в другие разы, когда приходила к Мише, вот мне в память и запало... А намекать, что я убила Мишу, это подло. Я его любила.

Девушка поднялась, давая понять, что аудиенция окончена.

— Надеюсь, у вас больше нет ко мне вопросов.

— Нет, — задумчиво ответил Кис. — Пока нет...

Она резко повернулась и покинула кафе, застегивая на ходу короткую курточку.

Алексей остался сидеть за столиком, ответив на вопрошающий взгляд официантки новым заказом: стакан минералки и еще один кофе. По правде сказать, до сих пор он не верил в причастность Любы к смерти Михаила. Просто проверял гипотезу — он всегда проверял все гипотезы, не полагаясь на одну лишь интуицию. Но сейчас Люба лгала. И он не знал, что и почему она скрывала. Если она там была, если виновна в гибели Михаила, пусть нечаянно, то должна страшно, отчаянно жалеть об этом! Она ведь его любила... Тогда как Алексей ничего такого не почувствовал. Либо она куда большая лгунья, чем он предположил, либо приступы ее внезапной бледности вызваны чем-то другим. Иными мыслями и воспоминаниями. Иными страхами...

Может, Ромка что-то узнал? Алексей посмотрел на часы: сын должен уже пробудиться. Роман трудился в автосервисе — в машинах он бог! — и часто выходил в ночные смены. Клиентов в это время бывало мало, но парнишка любил копаться в автомобилях в одиночестве, когда никто не отвлекает. Брал он всегда самые дорогие тачки, самые сложные заказы, такие, где после ремонта не должно остаться ни царапинки, ни малейшего следа починки. И клиенты готовы были носить его на руках.

— Ромка, проснулся? Поделись, чем вчера закончился разговор с Любой?

— Да ничем особенным, па. Александра верно сказала, девчонка живет на чужой энергетической подпитке. А Козырев, при всех своих талантах, не смог эту схему исправить, потому что сам ее с руки кормил. Энергией, я имею в виду. Она в него была влюблена, сто пудов, а он ее жалел, подпустил к себе близко.

— Могла она его убить?

— Ты чего? Нет!

— Допустим, нечаянно.

— Нечаянно любой может.

— И она способна делать вид, что ни при чем? Лжет нам?

Роман подумал.

— Не, вряд ли. Мы с ней вчера долго говорили, она бы себя выдала. Не словами, но, знаешь, каким-то дополнительным чувством — раскаянием, надрывом... или страхом, не знаю. А у нее если и есть страх, то только перед будущим: как ей теперь жить без опеки Михаила.

«Молодец. Мои гены!» — довольно подумал детектив.

— Вы сегодня встречаться не собирались?

— Да нет... Я не такой великий донор, как Козырев, у меня в холодильнике не так много колбаски для голодных кошек.

— *Колбаски*?

— Ну, энергии. Для вампиров.

Алексей вспомнил слова Козырева, которые зачитывала ему Александра: «*Как можно вменять в вину низкую энергетику, если природа не наградила человека сильной?*» Похоже, что Роман прав: Михаил Любу действительно «с руки кормил». Жалел, не осуждал и, наверное, надеялся что-то исправить в ее энергетическом механизме... Теперь уж не узнать.

— А что, па? Почему ты спрашиваешь?

— Она что-то скрывает.

— Выкинь из головы, па, — безапелляционно заявил подрастающий психолог. — Она Козырева не убивала.

Алексей бы и рад выкинуть из головы, но что тогда поместить на освободившееся место? Поехать, что ли, домой да погуглить описание сердечка? Вдруг что выпадет?

Кстати, Игорь почему-то не звонит. А уже должен был какую-то информацию получить...

Он набрал номер ассистента.

— Погоди... — услышал он приглушенный голос Игоря. — Не могу сейчас говорить. Я с ее мужем тут активно задруживаюсь.

— И где ты слово такое откопал?

— Придумал, а что, нельзя? Кис, я тебе перезвоню минут через десять-двадцать... Здесь плохо ловит.

Время близилось к вечеру. Домой, решил Алексей. На сегодня хватит, суббота все-таки.

С утра, выполняя распоряжение шефа, Игорь засел за базы данных, которые водились в их рабочем компьютере. Сказать по правде, он не особо надеялся на успех: Липкина — фамилия не из редких, да и базы малость устарели. И точно, Ирин Петровен Липкиных он нашел аж восемнадцать. Спасло то, что Козырев указал в своем отчете ее возраст: тридцать два. Проживала она в районе метро «Аэропорт», куда Игорь и направился. Несмотря на соблазн воспользоваться подземкой (от «Смоленской» на метро за пятнадцать минут доберешься, а на тачке час в пробках простоишь!), он устоял, поехал на машине: никогда не знаешь, как дело повернется.

Вошел он в подъезд с кем-то из жильцов, поднялся на нужный этаж и уж было вознамерился выйти из лифта, как увидел мужчину, запирающего дверь той самой квартиры, где проживала Ирина Липкина. Игорь быстро натянул капюшон на голову и замер в кабине, нажав кнопку первого этажа.

— Подождите меня, пожалуйста! — крикнул мужчина.

Игорь придержал дверь, и несколько секунд спустя мужчина влетел в кабину. В руках у него был огромный букет цветов. Жена, значит, в отпуск, а он к любовнице? Или к маме? Или к жене друга на день рождения? Но больно уж роскошный букет, так и рисуется в воображении любовница...

— Вы вниз?

Игорь кивнул.

Мужчина встал впереди него, Игорь видел только тонзурку лысины. Впрочем, не беда, теперь он его не упустит из виду, еще будет возможность разглядеть.

Выйдя из подъезда, Игорь направился налево, к своей машине, мужчина же пошел направо, обогнул дом и стал ловить такси. Игорь аккуратно проследил за ним и, возрадовавшись, что мудро устоял перед соблазном метро, тронулся вслед.

Против всех ожиданий оказалось, что муж Ирины Липкиной ехал отнюдь не на свидание, не к любовнице и даже не к маме, а в институт Склифосовского. Цветы, выходит, в больницу вез кому-то...

Выдерживая дистанцию, Игорь проследовал за ним вплоть до двери, на которой было написано «Приемная». В нее мужчина и зашел, а Игорь сунул голову следом.

В помещении сидели люди и чего-то ждали. Или кого-то. Может, сюда приходят пациенты амбулаторно на прием к врачам? В глубине помещения находилась кабинка с надписью «Диспетчер». Однако муж Ирины уверенно направился к внутреннему телефону, затем коротко переговорил с кем-то. Слов Игорь не сумел разобрать и решил подождать немного за дверью. Внутрь он входить поостерегся: не зная ситуации, он мог легко привлечь к себе внимание неадекватным ей поведением.

Дверь «Приемной» беспрестанно растворялась, люди входили-выходили, чем Игорь пользовался, чтобы заглядывать в помещение и не терять из виду свою цель. Наконец он услышал: «Липкин Евгений Николаевич!» Мужчина встал и двинулся навстречу врачу, полной пожилой женщине с властным лицом, протягивая букет. Понятно теперь, кому предназначались цветы... И в чем же тут дело, интересно?

Игорь снял куртку, повесил ее на руку, не оставив шансов мужу Ирины опознать своего недавнего соседа по лифту. Проскользнув в «Приемную», подошел к ним как можно ближе, чтобы услышать хоть обрывок разговора...

И услышал!

«...Евгений Николаевич, я ведь вам уже говорила: в реанимацию нельзя. Понимаю, понимаю, вам хочется посмотреть на жену, подержать ее за руку, но таковы наши правила. И, поверьте, они вызваны жесткой медицинской необходимостью...»

Игорь счел, что узнал достаточно. Он повернулся и быстро вышел из «Приемной». М-да, вот так сюрприз! Ирина Липкина в реанимации! И — «посмотреть на жену, подержать ее за руку»... — она без сознания! Иначе бы список дополнил глагол «поговорить». Ну и дела! Неделю назад она улетела в отпуск, а вернулась из него в коме... Что же с ней случилось?

Это следовало разузнать, — но как? Вряд ли врачи скажут ему, даже если они в курсе. Надо бы найти поход к мужу Ирины, разговорить его...

Игорь снова сунул голову в «Приемную». Липкин был там, сидел на стуле и читал какой-то журнал. Почему он не ушел после беседы с врачом, Игорь не представлял, но, если повезет и он задержится там еще на какое-то время, то...

План быстро сложился в его голове. Игорь вышел на улицу, сел в свою машину и отправился на поиски цветов. Купив нарядный букет, он вернулся в «Склиф».

Ему повезло: Евгений Николаевич все еще находился в «Приемной», стоял у окна. На этот раз Игорь сумел разглядеть его получше: высокий, худощавый, темно-русые вьющиеся волосы вокруг лысины, курчавая бородка и холеные усы, мелковатый для мужчины нос, который венчали дорогие очки. Похож на профессора приличного учебного заведения.

Не обращая внимания на него, Игорь вошел в помещение, стремительно направился к диспетчеру и заговорил громко, возмущенно:

— Я пришел навестить коллегу, Ирину Петровну Липкину, цветы вот купил, но меня к ней не пускают! Меня сюда направили, к вам, но я не понимаю, почему я не могу пройти к ней в палату?!

Краем глаза он увидел, как Липкин встрепенулся, выпрямился и двинулся к нему.

Диспетчер принялась что-то объяснять, как вдруг локтя Игоря коснулась рука. Он обернулся: перед ним, как и ожидалось, стоял Евгений Николаевич.

— Вы к Ирине Липкиной, да? Извините, вы громко говорили, вот я и услышал, — интеллигентно улыбнулся он. — Я ее супруг, Липкин Евгений Николаевич.

— О! Приятно познакомиться... — Игорь решил не представляться, пока не спрашивают. —

Понимаете, я хотел навестить ее, мы коллеги, но тут какие-то странные порядки...

— Пойдемте, я вам все объясню. Извините, пожалуйста, — кивнул Липкин диспетчеру, миловидной женщине, — молодому человеку повезло: он никогда не находился в подобной ситуации и не знает...

— Да ради бога, — откликнулась та.

Не отпуская локтя Игоря, Липкин повел его к выходу из «Приемной».

— Вы не против поговорить на свежем воздухе?

Разумеется, Игорь был не против. Где угодно, хоть в туалете, — главное, *поговорить*.

Они вышли за ограду.

— Курите? — спросил Липкин, доставая сигареты.

— Нет.

— А я вот бросил три года тому назад, да снова закурил, когда с Иришей несчастье случилось... Что касается здешних правил, то в реанимацию пускают лишь в исключительных случаях. Я это так понимаю: когда наступит пора прощаться... К счастью, состояние моей жены небезнадежно. Однако навестить ее вы не сможете. Она находится на четвертом этаже, но туда вас не пустят, и не надейтесь.

— Как жаль... Хотелось ее повидать...

— Она в коме.

— Знаю, но все же... Мы все так обескуражены... Ирина улетела отдыхать, а вон как все повернулось... Я даже не представляю, что произошло!

— Вы разве не вместе с ней на отдых ездили?

— Я? — искренне удивился молодой человек. — Нет.

— Надо же, — с тонкой иронией произнес муж Ирины. — Я был уверен... Впрочем, неважно. Иришу сильно избили там, в Тунисе. Местной полиции не удалось найти бандитов, но там считают, что ее хотели изнасиловать... Она ведь яркая женщина, сами знаете, а там народ дикий... Она сопротивлялась, и эти негодяи разозлились. Решили ее проучить.

— Боже... В отеле?!

— Да. Никто не видел, никто не слышал. Система бунгало, отель расположен на нескольких гектарах. Ириша успела прислать мне фотографии. Она меня любит, знаете ли.

Игорь снова подивился: странное дополнение, вовсе не обязательное по смыслу.

— Что же это за отель? Ирина Петровна ведь не могла поехать в какой-то захудалый! Но тогда как же в него смогли пробраться бандиты?

— О, не сомневайтесь, отель очень приличный. Ириша хоть и схватила горящий тур — в этом она вся: заранее не позаботилась, работы у нее слишком много! — но выбрала пять звезд. Отель французский, она не любит встречаться на отдыхе с соотечественниками. А как пробрались... Дикие люди, что вы хотите! Могли и по пальмам перелезть, аборигены это умеют, не очень-то далеко от обезьян ушли.

Как мило. «Интеллигентный» расизм.

— Когда это случилось?

— В прошлое воскресенье вечером. Она два дня пролежала в местной больнице, пока ваша контора не договорилась о ее транспортировке на родину. Неужели вы не в курсе?

Ах да, он ведь «коллега» Ирины, нельзя об этом забывать! — спохватился Игорь.

— Разумеется, в курсе, иначе почему я здесь? Но никаких подробностей нам не сообщали...

В воскресенье. А Михаила Козырева выкинули из окна в понедельник. И его квартиру перевернули вверх дном. «Дикие люди» тут ни при чем, да и Тунис не та страна, где они водятся. По крайней мере, пока еще не одичали после своей революции, а там уж как Аллах решит, на всё его воля, как известно... Ирину не собирались насиловать — да и кто б из местных полез с такой безумной целью в европейский отель? Нет, Ирину целенаправленно избивали, для этого и пришли. Вернее, для этого их послали: выбить признание, куда дела сердечко!

— А вы, как я догадываюсь, любовник Ириши? — неожиданно спросил Евгений Николаевич с любезной улыбкой.

Ничего себе, поворотик в сюжете! — опешил Игорь.

— К ней из вашей конторы никто не приходит, — продолжал Евгений Николаевич, — только корзину цветов прислали, и все. Я не в претензии, Ириша ведь в коме. Даже цветы ей ни к чему... Только очень близкие люди могли сюда прийти. Поэтому я и догадался, — он снова мило улыбнулся.

В корзине цветов могли быть открытки, записки, — следовательно, имена.

— А где же эта корзина?

— Я врачам подарил. А вы на мой вопрос так и не ответили, молодой человек. Стесняетесь?

В ответ Игорь неопределенно пожал плечами. Он еще не успел сообразить, что выгоднее в интересах расследования: согласиться или отрицать, — и предпочел вести себя уклончиво. Если повезет, спровоцирует собеседника на еще какое-нибудь любопытное заявление.

Так и вышло. Муж Ирины трактовал его жест по-своему и приблизился, вглядываясь в глаза молодого человека.

— Я знаю о вас. Ириша мне все рассказала.

Именно в этот момент позвонил Кис. Пришлось отойти в сторону, хотя Игорю страшно не хотелось прерывать столь увлекательную беседу. Быстро переговорив с шефом, он вернулся к Евгению Николаевичу чуть ли не бегом.

Но тому тоже явно не терпелось продолжить общение.

— У вас все это началось полгода назад, не так ли? Я не стал возражать, — подхватил он прерванную нить беседы. — Думаю, Ира вам передала наш с ней разговор? Когда она мне призналась?

Игорь, наконец, сделал выбор: принял навязанную ему роль. Может, удастся вытянуть полезную информацию...

— *Полгода*? Так она действительно вам **всё** рассказала? Вы знаете мое имя? Должность?

И Игорь поздравил себя с правильным решением — не представляться Липкину. А ну как сейчас тот скажет «Вася».

— Не интересовался. Я Ирише пошел навстречу, потому что понял: у нее есть потребности, которые я не могу удовлетворить... Я для Ириши — духовный лидер. Вы это знаете?

«Духовный лидер», кто бы мог подумать! С этим маленьким, немужским носиком, с этой слащавой манерой импотента (не только в физическом смысле) и непристойной самовлюбленностью!

Игорь снова кивнул, пряча усмешку.

— В таком случае вы знаете и то, что у нас с Ирой весьма гармоничные отношения в плане... в сексуальном плане. Вы же не думаете, что у меня какие-то проблемы с этим, нет? Но у нее потребности выше... Просто выше. И я отнесся к этому с пониманием. Да вы не смущайтесь, это лишнее!

Игорь не представлял, что сказать в ответ этому странному человеку, да он, похоже, в диалоге не нуждался. У него был готов монолог, он его давно вынашивал, страдая одинокими ночами от ревности и уязвленного самолюбия.

— Ваше имя, говорите? А зачем мне оно? Вы мне безразличны. Ира ведь вам сказала, что у вас с ней отношения только постельные? Что вы лишь красивая постельная принадлежность... Извините, я не хотел вас обидеть.

Игорь осклабился в любезной улыбке, маскируя ею брезгливость.

— Разумеется, не хотели.

— И вас она не любит. Не забывайте об этом!

Супруг Ирины величаво кивнул, бросил окурок в лужу и зашагал обратно в «Склиф».

Игорь набрал номер шефа.

— Кис, ты ни за что не догадаешься, где я!

— Так удиви.

— В больнице! Да не в простой, а в «Склифе»!

— И чему ты радуешься? Что отделался легким ушибом? Или не очень легким?

— Хе-хе, меня сюда привел муж Ирины! В смысле, на хвосте привел. Ирина Петровна Липкина находится в «Склифе»! Она в коме, сильное избиение! И знаешь что? У Ирины есть любовник! Ее муж принял меня за него! За любовника.

— Та-а-ак, давай помедленнее. Как она оказалась в Москве, если улетела в отпуск?

Пока Игорь рассказывал, Алексей успел доехать почти до дома.

— Мы с тобой — гении, — заключил детектив, выслушав подробный отчет.

— Ну, я-то — понятно, а ты чего примазываешься? — непочтительно хмыкнул ассистент.

— Я? Я тебя послал. Битву выигрывает не солдат, а генерал, дорогуша, — развеселился Кис. Он обожал словесные пикировки с Игорем. — Ну, и что молчишь? Не нашелся? Тогда гол в твои ворота!

Он, довольный, закрыл телефон. Но аппарат тут же зазвонил. Детектив посмотрел на дисплей: Игорь.

— Решил отыграться?

— С тобой отыграешься, как же... Кис, ты где? Давай все это обсудим.

— К дому подъезжаю. А что сейчас обсуждать, Игорек? Тут надо новую инфу накапывать. Получить подробности из больницы, найти отель в Тунисе, если удастся, и там тоже разведать. И думать.

— Угу, твое любимое занятие. Причем в одиночку.

— Да ладно тебе. Не ворчи.

— Ты эгоист, Кис. Я твой напарник, между прочим!

Точнее, ассистент, улыбнулся Алексей. Но парнишка вгрызался в сыскное дело с таким энтузиазмом, что Кис нередко представлял его посторонним (клиентам и свидетелям) как детектива. И поскольку сам обожал оное дело, то рвение Игоря всяко одобрял.

— Ты мне даже не рассказал, что в РУВД нашел, — продолжал возмущенный *напарник.* — Или тебе дело не дали?

— Дали, еще как дали! И, слушай, я еще весьма любопытную вещь должен тебе сказать, насчет Любы! Но ты в амплуа любовника Ирины был столь восхитителен, что я забыл о серых буднях сыска!

— Так расскажи! — рассердился Игорь.

— Я уже паркуюсь у дома. Вот приду, сделаю себе чашку кофе и позвоню тебе. А ты из больницы пока не уходи, покрутись там еще, до закрытия. Вдруг муж что-нибудь новенькое скажет или любовник явится. Или подруга, — подругу всегда можно разговорить!

Кис, как обещал, выдал полный отчет Игорю; поиграл с малышами, почитал им книжку; и вечер наступил.

Алексей любил вечера дома. И не только потому, что он с семьей. *Дома* — значит, не в спешке, не в разъездах, не в гонке. *Дома* — значит, можно сколько угодно смотреть в окно, на молодой месяц, который уперся твердыми рожками в черный лоб неба; значит, можно отпустить мысли на ветер, на тот, что ворошит и вздувает верхушки деревьев в сквере, точно кружевные юбки барышень на первом балу; значит, можно на какое-то время слиться с природой, которой так алчет душа городского жителя. И пусть природа ограничена четким прямоугольником сквера за окном — все равно это она, это ее часть, спасительная часть!..

Так потерявшийся ребенок ликует, завидев край материнского платья в толпе.

Двойняшки отправились спать, Саша подошла к мужу, обняла. Они постояли у окна вместе, молча. Она знала, о чем он думает; и он знал, что она знает.

— Родная... — он шумно выдохнул, целуя ее под волосами, в шею.

Больше всего на свете ему хотелось сейчас умыкнуть Александру в спальню, быть с ней, любить ее. Но...

— Сашенька... мне нужно обязательно кое-что узнать... Поскорее. Сегодня. Сейчас. Я ждал, пока ты освободишься. Поможешь?

Она засмеялась. Она слишком хорошо его знала, до смешного хорошо!

Алексей усадил жену за компьютер: с ее знанием французского, только она могла выудить название отеля в Интернете.

И в самом деле, спустя каких-то двадцать минут у них путем отбора осталось только семь наименований. Телефоны были указаны на сайтах.

— У нас разница в два часа... — произнес Алексей. — Сейчас сентябрь? Да, правильно, два.

 Когда у них переведут стрелки на зимнее время, то станет три. Но все равно еще не поздно, там только начало восьмого. Звони!

Повезло на втором. «Мадам Липкина? Ваша сестра? Да, у нас остановилась, но... Очень сожалею, с ней случилось несчастье. Я приглашу к телефону главного администратора, я не уполномочен рассказывать об этом...»

Несколько минут Александра любезничала на чужом мелодичном языке, затем разъединилась и повернулась к мужу:

— В отель она приехала одна. Остальное идентично тому, что рассказал ее муж: они — точнее, местная полиция — сочли это за покушение на изнасилование. Свидетелей нет, все отдыхающие были в это время в ресторанах и барах. Ирину нашли в кустах, уже без сознания. По словам полиции, напали на нее в номере, в бунгало. Она сопротивлялась, в бунгало все вверх дном, драка длилась долго. В какой-то момент бандит, разъярившись, слишком сильно ударил ее. Ирина потеряла сознание, он испугался, поэтому и не довел до конца «то, за чем пришел», как выразился администратор. Он ее вытащил из бунгало и оставил недалеко от дорожки, чтобы ее нашли и оказали помощь, если она еще жива... Иначе его будут искать за убийство, а это совсем иная статья, чем покушение на изнасилование, как местная полиция решила. Другая статья, и другие силы будут брошены на поиск преступника.

— И дирекция, конечно, исключает гипотезу, что это был кто-то из отдыхающих, — усмехнулся Алексей.

— Разумеется. Какая антиреклама отелю! Среди клиентов водятся насильники!

— А человек со стороны, значит, не видя Ирину раньше — в силу чего и не обольстившись ее красотой, — специально забрался на территорию и целенаправленно двинул именно в бунгало Липкиной! Примерная логика, просто загляденье.

— Думаешь, кто-то специально охотился за ней?

— Думаю. Кто — не знаю, но хотя бы понятно, что любовник Ирины не причастен к избиению, коль скоро она была в отеле одна.

— Или причастен, но не своими руками?

— Руки эти растут из фирмы. Ее любовник работает там, судя по прелестной беседе Игоря с мужем Ирины... Ладно, надо над этим всем еще подумать.

— Не буду мешать, — усмехнулась Александра, — пойду, поработаю над статьей.

...Некоторые утверждают, что когда знаешь человека слишком близко, то в нем не остается тайн, и ты теряешь к нему интерес, влечение. Алексей этих «некоторых» не понимал. Ведь это счастье, когда не приходится объяснять! Когда человек знает тебя столь хорошо, что нет нужды произносить: «Оставь меня одного», — он и сам чувствует.

— Ты не особо увлекайся! — крикнул он вслед жене. — Через парочку часов я приду за тобой, как волк за Красной Шапочкой! — и он грозно рыкнул.

Она тихо, по-девчоночьи хихикнула в соседней комнате, и от этого ее смешка у него...

Впрочем, надо сосредоточиться.

Алексей полистал записную книжку, нашел номер телефона одного давнего знакомого, известного в Москве (и не только) хирурга. За годы своей частной практики детектив оброс связями, что выручало его в расследованиях не раз.

— У меня все отлично, — сразу сообщил тот, заслышав голос детектива. — Надеюсь, что у вас тоже. Так что можете переходить прямо к делу, — его смешок был похож на всхлип.

Кис, не вдаваясь в суть дела — хирург и не спрашивал, — попросил разузнать врачебное заключение о травмах Ирины Липкиной, находящейся в коме, и прогноз.

— На прогноз не рассчитывайте. Никто не знает, когда пациент выйдет из комы и выйдет ли вообще.

— Тогда заключение. Тяжесть травм и так далее.

— Завтра утром сделаю. У вас электронный адрес тот же? Пришлю вам отчет.

— Я подозреваю, что ее не просто били, а пытали. То есть избивали методично. Если врач заметил что-то такое по ее ушибам...

— Сколько времени могло длиться избиение?

— Не знаю. Час, чуть больше...

Больше — вряд ли, подумал Алексей. До ужина еще не все отдыхающие ушли из своих бунгало, — не все любят собираться за аперитивом на террасе и слушать плоские шутки аниматоров. Многие еще в своих комнатах: это как раз время между пляжем и вечерними мероприятиями, время, в которое принимают душ, чтобы смыть соленую морскую воду и песок, и одеваются понаряднее, «повечернее». И соседи услышали бы крики: рот ей не могли заклеить, от нее ведь требовался ответ! Да и суета возле ее номера — Кис полагал, что бандитов было двое: один допрашивал, второй обыскивал, — привлекла бы внимание соседей. Нет, они не рискнули бы действовать, пока соседние бунгало полностью не опустели! Значит, час, от силы полтора, он правильно посчитал. А скорее всего, и того меньше: вряд ли женщина смогла бы так долго терпеть побои.

— Тогда не мечтайте, — ответил хирург. — Очередность получения травм за такой короткий срок установить невозможно. К тому же жертва жива, вскрытие не проведешь! — Он снова хохотнул, как всхлипнул. — До завтра, Алексей Андреевич.

— Погодите... Я по-другому сформулирую вопрос: по характеру полученных травм можно ли сказать, что жертва сопротивлялась, допустим, насильнику, — или целью было избиение?

— Мы не криминальные эксперты, не забывайте. Но, возможно, остались какие-то следы в области половых органов. Узнаю.

Если целью было избиение, то есть пытка с целью узнать, куда Ирина дела сердечко (оно ведь улика, как следует из записей Козырева), думал Алексей, отключившись, то почему ее оставили в живых после того, как добились признания? Они не могли знать наперед, что она впадет в кому и не даст показания полиции...

Что-то тут не вяжется. То ли детектив ошибся по всей линии и сердечко в этой истории ни при чем (да и слабо вяжется эта простенькая вещица с уликой серьезного преступления), а на Ирину напал насильник... То ли охотники за сердечком настолько уверены в себе, что не боятся показаний женщины. Высоко сидят, далеко глядят, как былинные Соловьи-разбойники... Или все проще, и они решили, что потерявшая сознание женщина мертва? И просто поскорее смылись?

Вот глупость сморозил. Ох, сморозил! Злую шутку сыграло с ним нетерпение, желание поскорее разобраться в путаном деле, и он, опытнейший детектив, доверился непроверенной информации! Да, он рассудил правильно: посторонний не полез бы в отель домогаться незнакомую женщину, это верно, но кто сказал, что это был *посторонний*?! Главный администратор отеля. Ему данная версия выгоднее, он спасает репутацию заведения. Далее, кто сказал, что это лишь *покушение* на изнасилование? Опять же администратор! Опять же, ему так удобнее. И его начальству так удобнее, директору отеля. И хозяину отеля, кем бы он ни был. У него связи, он и с местной полицией мог легко договориться, чтобы слухи не поползли.

А что, если было настоящее изнасилование, и виновник — кто-то из постояльцев? Алексей бывал в разных «все включено», видел, как там бухают. И не только соотечественники, — в каждой нации есть «бухари». Кто-то поддал и забрался к женщине, заметив, что она задержалась в бунгало одна, вокруг все опустело... Она днем ему глазки строила — красивые женщины часто делают это на автомате, — он понял по-своему, как намек. И вот явился «по зову любви». Оказалось, к его вящему разочарованию, что ни о какой любви речь не шла. Ирина, естественно, сопротивлялась, а пьянь психанула. Есть мужчины, которые под действием алкоголя становятся весьма агрессивны, хотя в трезвом виде вполне сносные люди. И он избил Ирину до полусмерти. Могло быть так? Могло! И в номере имеются следы борьбы, как и предположила местная полиция, а вовсе не обыска, как уж было решил он, детектив...

А еще вот как могло быть: избил ее — любовник! Ведь муж предполагал, что Ирина уехала с ним! Так ли это было на самом деле, мы не знаем. Допустим, они все-таки ездили вместе, там отчего-то сильно поссорились, и он ее измордовал. В этом случае даже изнасилование не обязательно имело место быть, у них другие разборки... И директор даже не соврал: любовники взяли два разных номера, он мог просто не знать, что между ними имеются близкие отношения... Вот и решил, что виноват посторонний!

Алексею показалось, он воочию видит, как рушится, крошится здание его версии. Да, в нем не хватало многих кирпичей, но это была какая-никакая, а постройка. Теперь — груда руин. В коих не отыскать даже кирпичика, пригодного для возведения новой версии...

Катя почти весь день провела в постели. Не потому, что ей было плохо физически, нет, — голова немного болела, вот и все. Плохо было на душе. Жизнь с ней почему-то обошлась немилостиво: предательство, смерть, одиночество. Да еще и по голове шарахнули. Она себя чувствовала брошенной и никем не любимой. Никем на свете! Разве можно так: отнять родителей, а потом брата? И даже не подарить ей взамен хоть немножко любви? Хоть немножечко... Только настоящей.

Но там, наверху, похоже, считали, что *так* вполне *можно*: бить в одну и ту же цель, туда, где уже непроходящий синяк, чтобы превратить его в незаживающую рану. Там, наверху, то ли садист, то ли лентяй, которому влом посмотреть в другую сторону и найти себе объект для битья более достойный — убийцу какого-нибудь или взяточника...

Впрочем, Катя в высшие силы не верила и справедливости от них не ждала. Ждала ее от людей. В чем, собственно, и состояла ее ошибка, как теперь ясно...

Разговор с тетей Верой, без конца призывавшей Катю мужаться, положение дел не улучшил. Отчаянно хотелось, чтобы был рядом кто-то родной и *мужался* вместе с ней... Тетя рвалась приехать, помочь с похоронами Миши, но она болела, еле ходила, и Катя убедила ее остаться в Питере. Она сама справится, она уже изо всех сил *мужается*.

Катя то плакала, то засыпала (таблеток ей в больнице прописали каких-то успокаивающих, от них спалось). Но сон не приносил отдохновения, а слезы — облегчения.

Утром ее из больницы забрал Олег. Он был сдержан, даже суховат, и не преминул пару раз подчеркнуть, что для него она, прежде всего, Мишина сестра. Обиделся на ее вчерашние слова.

И правильно. Она такую чушь несла, стыдно вспомнить! Хотя мог бы ее извинить, с учетом ее состояния... Да ведь Катю не балует судьба, так с чего бы ей ждать великодушия от едва знакомого парня!

Олег вскоре уехал. Предложил, правда, сходить для нее в магазин, но Катя заверила, что ни в чем не нуждается. А она и вправду не нуждалась: есть совершенно не хотелось... И в сочувствии его она не нуждается. И в дани уважения *Мишиной сестре* тоже!

К вечеру она все же выбралась из постели. Походила по квартире, время от времени поднимая разбросанные вещи, которые не успела разложить на места. Потом без энтузиазма подумала, что следовало бы выйти на улицу, просто погулять на свежем воздухе...

Апатия оказалась сильнее благоразумия. Сделав себе чаю, Катя уселась перед компьютером брата и принялась читать блог «Микаэля». О нет, она ни на секунду не поверила тому, что там написано! Обмануть это могло только Любу и еще несметное количество чужих людей, которые не знали ее брата. По словам Александры, Миша таким образом собирал новые аргументы. Что ж, вот это на него как раз похоже: у него самого было их предостаточно, но Миша всегда верил, что найдется человек, способный его удивить. Хотя всю свою жизнь удивлял остальных — он.

От блога Катя перешла к рабочим дневникам и заметкам брата. Мыслей у него было так много, что она не успевала их обдумать до конца, просто читала, ловя в строчках дыхание Миши, его голос, интонации...

Катя поняла, что на город спустилась ночь, только тогда, когда свет монитора стал резать глаза. Она обернулась. Мрак сгустился в углах комнаты, клубился у нее за спиной, под ногами, словно она оказалась в темной воде омута. С лестничной площадки доносился тихий невнятный шум.

Ей стало не по себе. Резко вскочив — чашка из-под чая упала со стола, коротко взрыднув осколками, — Катя бросилась к выключателю, зажгла свет. Затем вышла в коридор и постояла, прислушиваясь. За дверью тихо постукивало и позвякивало...

Катя на цыпочках подкралась к «глазку». Он располагался высоковато для нее — брат его врезал в расчете на свой рост, но она дотянулась, встав на цыпочки. На лестничной площадке находился человек, мужчина. Он стоял спиной к ее двери, под лампой, и, похоже, рассматривал что-то... Затем повернулся и медленно направился к ее двери, держа в руке ключ. Казалось, он нацелился этим ключом прямо на ее замок, как пистолетом...

От ужаса Катя едва не закричала. Что делать? — лихорадочно соображала она, отпрянув от двери. Вызвать полицию? Но даже вчера, когда ее ударили, Олег не вызвал, потому что детектив сказал, что бесполезно... Позвонить ему, Алексею Кисанову? Да ведь человек стоит под ее дверью — сейчас, в эту минуту, в эту секунду!.. В его руках тихо позвякивает связка ключей... Детектив не успеет!

Катя схватила большой мужской зонт, стоявший в корзине у вешалки, и снова осторожно заглянула в «глазок». Мужчина был совсем близко. Лица против света не разглядеть. В одной руке он держал ключ — остальные тихо покачивались на кольце с этим отвратительным тихим звоном, — а в другой... В другой он держал клюку! Зачем она ему?! Бить Катю по голове?!

Она в ужасе присела на корточки, будто клюку уже занесли над ее затылком.

Раздался характерный звук вставляемого в замок ключа. И...

Катя снова выглянула в «глазок» и тихо рассмеялась истерическим смехом: это был Мишин сосед. Пожилой человек с тростью. Он попросту шел к себе домой. В квартиру, находившуюся справа от Мишиной!

С трудом отдышавшись, она вернулась в большую комнату, задернула занавески, бросив взгляд на улицу. Кажется, пока никто не собирается входить в ее подъезд... Да и вообще, тому, кто в эту квартиру приходил вчера, не она нужна, а какая-то вещь! Может, он ее уже нашел? И теперь оставит Катю в покое?

Она позвонила детективу Кисанову, но тот ничем не порадовал. Он по-прежнему не знал, кто и зачем врывался в Мишину квартиру, отчего погиб брат...

Что же, ей теперь бояться каждого шороха за дверью?! Да ладно бы только шороха, — а вдруг дверь ее тихо раскроется, когда она будет спать? Цепочка не спасет, Катя столько раз видела в кино, как легко ее перерезают, перекусывают кусачками...

Детектив говорил, что сегодня никто в квартиру не придет. Что вчера грабитель специально дожидался, пока она опустеет, — осторожничал, не хотел нарываться на новые сложности, привлекать внимание полиции и соседей... Все это кажется очень разумным, даже убедительным, но только не тогда, когда сидишь в квартире одна! За хлипкой дверью — Миша не считал нужным ставить металлическую: красть у него нечего, с простеньким замком!

Катя снова пошла к дверному «глазку», посмотрела. Никого, к счастью. Вернулась к окну и, прячась за занавеской, изучила двор. Мимо дома шла парочка. С детской площадки доносились голоса и смех, — там устроилась компания подростков. Вот бредет поддатый мужичок, шатается. Белая машина въехала во двор, поискала место для парковки, но не нашла и уехала.

Ладно, не стоять же тут всю ночь... Детектив, наверное, прав: пока Катя дома, в квартиру вряд ли станут ломиться... Она выпуталась из занавески и собралась было пойти на кухню, бросив последний взгляд в окно, и вдруг замерла. Белая машина, та самая, снова оказалась во дворе и тормозила прямо у ее подъезда, нахально заехав на тротуар. Из нее вышел парень, поднял голову, посмотрел на окна — Кате показалось, что на ее окна! — и вошел в подъезд.

У нее свет горит, он не мог не видеть, что она дома! Но вдруг он решил на этот раз не стесняться ее присутствием?!

Она снова бросилась к дверному «глазку», приклеилась к нему, нервно подрагивая, пока лифт не прошумел мимо.

Так она к утру станет неврастеником...

Помаявшись, она набрала номер Олега.

— Все в порядке? — произнес он вместо «алло», будто знал, что это Катя. В голосе его звучало беспокойство.

Конечно, она ведь *Мишина сестра*, и его мучает долг перед любимым наставником. Или как там, «учителем»? «Гуру»?

Ей немедленно захотелось нажать на кнопку отбоя. Но она понимала, что тут же пожалеет:

страх не отпускал, в его крабьих клешнях она просто задохнется.

— Я... Если вы не очень заняты, Олег... Мне страшно одной. Вдруг сюда снова залезет вор? Может, вы могли бы...

— Я бы с удовольствием приехал... Но дело в том, что...

Ищет отговорку! Катя резко его перебила:

— Ладно, не надо.

— Дело в том, что я не один... — продолжил Олег.

— Забудьте!

— Мы можем приехать к вам, но...

— Простите, что побеспокоила. Доброй ночи.

И Катя бросила трубку.

Устав спорить с самим собой, Алексей открыл фотографию сердечка и задумался. Нетушки, не согласен он на груду руин. Не может быть, что его основная версия оказалась пустышкой. Как так? В пятницу Ирина говорит, что самоубийства в Концерне были убийствами (то есть о нераскрытых преступлениях говорит!), и отдает сердечко Козыреву. В воскресенье ее избивают в отеле, а на следующий день погибает Козырев. Если это, граждане, не связано, то увольте меня из детективов!

А если же связано — то сердечком!

Кем бы ни был вор — хоть Люба, хоть кто угодно, но он искал именно его!

Нашел ли вчера, в банке с крупой на кухне?

— Кофе хочешь? — донесся до него голос Александры.

Уже время позднее, Алексею бы выспаться этой ночью, не стоит сейчас кофеманить.

— Нет, солнышко. Спасибо. А вот коньячку бы выпил. Ты со мной?

Саша вошла в его кабинет.

— Я так и знала, — засмеялась она.

У нее в руках два пузатых бокала, наполненных на четверть коньяком, и тарелка с лимоном, слегка присыпанным сахарной пудрой.

— Не голоден? Ты ведь не ужинал.

— В алкоголе куча калорий. Обойдусь.

Александра присела возле его рабочего стола.

— Солнце мое, уж не завел ли ты любовницу? — проговорила она с ехидцей, глядя на экран, где висело изображение сердечка. — Подбираешь ей подарок на День святого Валентина?

— Если б завел, то вряд ли стал бы ей дарить дешевую бижутерию!

— Это не дешевая бижутерия, Алеш, — покачала головой Александра. — Это дорогая флешка.

— Это? **Флешка**?!

— Ага. У моей коллеги такая. Как раз подарок любовника на прошлый День святого Валентина. Разъем спрятан внутри.

— Сашка!!! — заорал Кис, бешено щелкая мышкой. — Ты даже не представляешь, как ты мне помогла!!!

Его щелканье быстро принесло плоды: поисковик выдал кучу фотографий подарочных флешек, среди которых Алексей без труда опознал искомое сердечко. Открывалось оно, судя по фотографии, посредине, как раз по линии стразов. Стык практически незаметен, — и в голову не придет, если не знать.

— Флееееешка! А я-то, болван, гадаю, что в нем такого, в этом сердечке! А в нем — **информация**!!! Дай я тебя поцелую!

— Через пару часиков. Ты сам так сказал!

Александра ловко вывернулась из его объятий и направилась в соседнюю комнату.

— Я работаю! — крикнула она. — Не вздумай мне мешать!

...Тот, кто полагает, что счастье — это скучно, тот попросту его не знал, заключил Кис, глядя вслед жене.

Ну что ж, теперь многое прояснилось. Ирина каким-то образом догадалась или точно узнала, что самоубийства являлись на самом деле убийствами. Да, должность у нее не слишком высокая, чтобы делить тайны с руководством, а решения об убийстве принимались именно наверху, поскольку на флешке, без сомнения, содержался компромат, за которым открыли серьезную охоту! Но у нее в конторе был любовник, как выяснил Игорь. Возможно, именно от него она что-то узнала ненароком.

Как бы то ни было, Ирина Липкина нашла этому подтверждение. Документы это были или записанные разговоры — неважно. Главное, у нее имелись доказательства! Иначе зачем флешка, зачем отдавать ее Козыреву... Но кто-то из причастных к преступлению стал ее подозревать.

В тот день, когда Ирина отдала флешку-сердечко Козыреву и поспешно улетела в Тунис (по словам мужа, выбрала горящий тур, причем не в самом излюбленном для обеспеченных россиян направлении, не в Италию там или Доминикану, а именно в Тунис, да во французский отель, где нет соотечественников. Она надеялась, что никто ее местонахождение не вычислит!) — так вот, в этот же день произошло еще одно само... убийство. Если верить «желтой» прессе, конечно, но в данном случае Алексей ей почти верил.

Опустим временно слово «почти». Хорошо бы найти сведения о жертве... Не исключено, что именно этот человек выдал Ирину. Был ее сообщником или помощником? Или как раз любовником? Кто-то его засек, — в конце концов, информация же не из воздуха берется! Нужно полазить по чужим столам, по чужим компьютерам, что-то подслушать, что-то выспросить — вот за такого рода занятием его и засекли. Прихватили, вынудили рассказать, кто с ним еще в деле... После чего «убрали». Но он знал, знал, что важную компрометирующую информацию Липкина записала к себе на флешку!

Знал — и сказал. Потому за ней и бросились в погоню. Два дня им понадобилось, чтобы выяснить, куда она улетела, найти ее отель... В Концерне люди могущественные, им информацию о вылетах на тарелочке принесут... Или муж простодушно рассказал, — он самовлюбленный дурак, судя по его разговору с Игорем.

Далее. Ирина не отказала себе в комфорте и выбрала пять звезд, чем упростила задачу бандитам: они с ней работают, ее вкусы знают. В Тунисе не так уж мало русских живет, и найти среди них человека, который подсобил бы с информацией о туристах, тоже не проблема: ведь всех прилетающих регистрируют в полиции, имеются списки, кто да где остановился. За хорошую сумму в евро нужное имя легко из них выудить.

Ирина прилетела в отель в пятницу вечером, а в воскресенье вечером ее уже настигли. Можно теперь не ждать подтверждения от знакомого хирурга, Алексей уже не сомневался: Ирину не просто били, а выбивали информацию о том, куда дела флешку! В ее бунгало все вверх дном, и не потому, что она дралась с насильником, а потому, что бандит обыскивал номер. И — да, их наверняка было двое: один выбивал признание, а другой в это время делал обыск.

Прекратили они и то, и другое в тот момент, когда Ирина, не выдержав боли, призналась. И тем обрекла Михаила Козырева на смерть.

Впрочем, убивать его не собирались. Им нужна была только флешка. Его смерть — случайность, отчего еще нелепее...

Теперь понятно и то, почему Ирину оставили в живых: на случай, если она все же солгала. Чтобы вернуться к ней и снова выбивать правду. Впрочем, нельзя исключить вариант, что им просто кто-то помешал. Соседи пришли в свое бунгало, и бандиты решили: пора делать ноги. Ну, или, как он предположил раньше, они подумали, что Ирина мертва. Что забили ее до смерти...

Как бы то ни было, из любого варианта следует, что Ирина снова окажется в опасности, как только придет в себя! Надо что-то предпринять. У Сереги Громова попросить завтра человека, что ли? Человека, в отличие от Игоря, вооруженного, готового к любому повороту событий... Если на флешке компромат на высокопоставленных чиновников Концерна, то поворот может оказаться весьма крутым.

Однако если на флешке компромат, то со стороны Ирины было бы верхом глупости отдать его Мише, не продублировав! Бандиты должны были это понимать — и проверить компьютер Ирины! Надо мужа ее расспросить. Или... Или у нее только портативный компьютер, ноутбук, и Ирина забрала его с собой в отпуск... И они прямо там его просмотрели?

В любом случае переговорить с ее супругом следует. Найти к нему тонкий подход, чтобы выяснить это, не раскрывая личности Игоря. Пусть остается в его глазах «любовником»... Но нелегко это будет сделать.

И где же она, флешка? Какая-то чертовщина, чехарда. Любу он пока не проверил, — могла ли она быть причастна к работе Концерна, но в это Кис мало верил. Крупные фирмы не пользуются услугами частного бухгалтера. К тому же бухгалтера без солидного имени. Так что пора Любу из списка подозреваемых вычеркнуть, а странности в ее поведении отнести на счет малоизученных природных аномалий, таких, как безответно влюбленная женщина...

Звонок мобильного потревожил ход его рассуждений. «Люба» — высветилось на дисплее. Легка на помине! И что ей понадобилось в столь поздний час?

— Алексей Андреевич, пожалуйста, приезжайте ко мне!

Голос ее дрожал.

— Что случилось?

— На меня напали... Я прячусь в своем дворе, я боюсь идти домой... Прошу вас, приезжайте!

Вчера на Катю, сегодня — на Любу?! Связано это или нет?

— Может, полицию...

— Нет!!!

Люба закричала так, что детектив чуть не оглох. Разобраться в происшедшем по телефону явно не получится, придется ехать.

Он спросил точный адрес и вышел из дома.

В ночных часах есть прелесть, которую не оспорили бы даже «жаворонки»: отсутствие пробок. Кис завел адрес в навигатор — район Кунцево, где жила Люба, он почти не знал — и наслаждался быстрой ездой под «Радио-джаз».

Добрался менее чем за сорок минут. Приткнул машину недалеко от двенадцатиэтажной башни, в которой Люба проживала, вышел из джипа и набрал ее номер.

— Где вы?

— Здесь, во дворе, — прошептала она. — Я вас вижу, кажется... Махните рукой... Да, вижу, — подтвердила девушка. — Идите к домику на детской площадке.

Детектив дошел, заглянул внутрь: пусто.

— Сюда! — раздался откуда-то шепот. — Я здесь!

Кис осмотрелся и увидел Любу у кромки кустов, обильно росших у противоположного дома. Она поманила его к себе, отступая в черную тень, и детектив последовал за ней.

В кусты свет едва проникал, и лицо Любы показалось ему маской, на которой обозначились лишь глаза — огромные, испуганные. Она заметно дрожала от холода. Руками она обхватила себя за талию, придерживая накрест полы короткой куртки.

— Вы совсем замерзли, Люба... — сочувственно проговорил Алексей. — Лучше куртку застегнуть. Помочь вам?

— Мне сломали «молнию».

— Я хочу поскорее узнать, что с вами приключилось, но давайте сначала переберемся в тепло. Может, к вам?.. — Он вспомнил, что Люба почему-то опасается идти домой, и быстро исправился: — Ко мне в машину?

— Я боюсь, что они где-то здесь, что ждут меня!

— Зачем?

— Чтобы затащить меня в квартиру...

— Это была попытка изнасилования?

Люба сначала неуверенно кивнула, потом вдруг помотала головой. Зубы ее начали постукивать.

Кис не выдержал этого бедственного зрелища, снял с себя куртку и укрыл ею плечи Любы. По длине она вполне могла бы сойти за пальто, а по ширине туда уместилось бы две Любы, если не три. Девушка благодарно кивнула, заворачиваясь в куртку, как в просторное одеяло.

— Объясните, что случилось?

— Потом. Сначала нужно сделать...

— Сначала вам нужно попасть в тепло. Пойдемте, они не посмеют вас тронуть при мне.

— Нет! Они не должны нас видеть вместе! Я хочу, чтобы вы сходили ко мне домой, но чтобы они не догадались, куда вы идете!

— Люба, я ничего не понимаю. Зачем мне к вам домой? Что произошло?

— Я возвращалась от одного моего клиента, мы финансовый отчет обсуждали... Когда я пересекала двор, меня схватили двое мужчин... выскочили прямо из ниоткуда... Затащили меня в домик на детской площадке и стали рвать на мне одежду... Куртку, рубашку... Я подумала, что они хотят меня изнасиловать... Страшно испугалась... Даже сопротивляться не могла, меня как парализовало... Но они...

Девушка вдруг умолкла, и Кис был вынужден подстегнуть ее вопросом:

— Но они?..

— Когда они увидели... мою грудь... то сразу убрали руки... Я сначала решила, что она им не понравилась, слишком маленькая... — Люба натужно усмехнулась. Алексей не мог видеть, но был уверен, что она покраснела. — А они схватили меня за плечи с обеих сторон и спросили: «Где она?»

— Кто? — не понял Алексей.

— Они плохо говорят по-русски... Имели в виду «оно», наверное...

— Да о чем речь, Люба? — не выдержал детектив.

— Я сказала, что не понимаю... Они меня больно ударили... под дых... Но я все равно повторила, что не понимаю... Я в тот момент действительно не понимала... Они мне поверили, кажется.

— А теперь? Теперь вы поняли?

— Да! Возьмите мои ключи. Четвертый этаж, квартира двадцать три... Оно лежит у меня под подушкой. Заберите его. Они все равно придут за ним... Я не хочу, чтобы им досталось... Это подарок Миши...

Алексей терялся в догадках, но вопросы задавать не стал: Люба на них мало реагировала. Он просто подождал, пока она заговорит снова. И дождался.

— Я почему-то думала, что он для меня его держал в руке... Как прощальный подарок, перед тем как выброситься из окна...

Люба, несмотря ни на что, по-прежнему считала: Козырев совершил суицид. Видимо, ей так легче. Иначе бы пришлось признать, что Михаил солгал ей не только насчет родителей, но и насчет своих тайных помыслов...

— А он, наверное, для другой женщины купил... — продолжала девушка. — Вот она и послала за ним... Глупо, да? Я вообще глупая. Все неправильно понимаю... Ваша жена сказала, что я... Да нет, она тоже глупости сказала! Я вовсе не считаю, будто мне *все должны*! Миша, он единственный меня понимал... Он говорил, я пытаюсь представлять этот мир более добрым! И он был прав. Понимаете, я просто хотела верить, что он добр ко мне, этот мир! И не хотела видеть его объективно... А как же видеть *объективно*, Алексей Андреевич? Согласиться с тем, что всем на тебя глубоко наср... наплевать?!

— Непростой вопрос, Люба... Я не сумею найти на него ответ. По крайней мере, не сейчас.

— Да, конечно... Держите ключи. Тут от подъезда и от квартиры, у меня один замок. Как и у Миши, — она грустно улыбнулась, — красть нечего... Четвертый этаж, квар...

— Я помню. Оставайтесь здесь.

Кис принялся выбираться из кустов.

— Алексей Андреевич! — окликнула его Люба. — Куртку свою возьмите.

— Нет, пусть вас греет.

— Просто вы выглядите странно без нее... Они могут заподозрить что-то.

— Не волнуйтесь. Они подумают, что я рядом живу, только и всего.

«Они». Кто такие? И зачем им торчать во дворе, подстерегая Любу? Девушка преувеличивает, у страха глаза велики? И второе местоимение — «оно». Подарок Миши. Зачем он бандитам?

И вдруг его осенила догадка. Он с трудом удержался, чтобы не припуститься бегом к подъезду (вдруг *они* наблюдают?). Дошел, наконец, поднялся на четвертый... Квартира Любы, кровать, подушка...

Точно! ОНО! Сердечко со стразами! Флешка Ирины! Люба, видимо, тоже не догадалась, тогда как бандиты знали, что ищут! Потому и спросили, «где *она*?» — она, флешка. И, конечно, на изнасилование они не покушались, и не грудь Любы их разочаровала: они предполагали, что сердечко может висеть на шее девушки, оно ведь и впрямь выглядит как украшение на цепочке!

Да, она права: бандиты могут заставить ее пустить их в квартиру, где они тоже перероют все вверх дном, а то и станут пытать Любу, как уже проделали это с Ириной Липкиной... Впрочем, с Любой случай несколько иной: они не могут быть уверены, что флешка у нее. Только предполагать, да и то с натяжкой.

Алексей спустился во двор, аккуратно осмотрелся. Если кто и следил за подъездом Любы, то себя напоказ не выставлял...

— Люба, — вернулся он в кусты, — они вас отпустили, я правильно понял?

— Да. Просто повернулись и ушли. А я перепряталась сюда — боюсь, что они меня поджидают где-нибудь за углом... Нашли?

Алексей показал ей сердечко и снова убрал его к себе в карман.

— Пойдемте в машину. Их здесь нет. По крайней мере, пока.

— А почему...

— В машину, Люба, — произнес детектив, таща ее в сторону своего джипа. — У меня дома дети, не хватало только, чтобы вы заболели и их заразили!

— А мы едем к вам... домой?

Кис кивнул, заводя мотор.

В машине Люба отогрелась, расслабилась. Слово за слово, и Алексей узнал о том, как она шла к Мише, как видела его падение, как приняла из его пальцев сердечко... В тот момент ее боль была велика, она не хотела, не могла общаться с полицией, да и не считала, что владеет важными сведениями. Куда важнее была эта вещица, хранившая Мишино тепло. И даже если она предположила, будто Миша купил его для другой женщины, расставаться с ним не намеревалась: она получила его из руки Миши, как **подарок ей**.

— Почему его ищут? Оно очень дорогое, да? На нем бриллианты? Вы тоже меня о нем спрашивали... Что вы знаете?

— Это не украшение. И стоит совсем недорого... Это флешка, Люба.

Алексей притормозил у обочины, достал сердечко из кармана, потянул за две половинки, показал металлический прямоугольник, скрывавшийся внутри украшения.

Девушка ничего не сказала. Но Алексей видел, что она разочарована, и сильно. Флешка совсем не тянула на прощальный подарок.

— Ценность не в нем, а в информации, которую флешка содержит, — добавил он.

Но Люба потеряла к разговору всякий интерес и нахохлилась, утопив острый подбородок в воротнике куртки.

Тем лучше. Кис не собирался рассказывать ей о своем расследовании. Дело зашло слишком далеко, повернулось слишком серьезно. Ей ни к чему это знать.

Катя зажгла повсюду свет и уселась смотреть телевизор. Спать не хотелось, она и так почти весь день провела в дреме. И думать ни о чем не хотелось, — снова плакать? Катя устала. Плакать устала, горевать устала, чувствовать себя преданной и брошенной... Хватит!

Она сделала звук погромче и принялась с удвоенным вниманием следить за диалогами какого-то сериала. Вскоре ей удалось погрузиться в сюжет целиком, и она не сразу поняла, где прозвенел звонок: в фильме или в реальности. Но звонок повторился, и Катя с опаской направилась к домофону. Кто это мог быть в столь поздний час?

Олег, это был Олег. Катя открыла ему дверь подъезда и устроилась у «глазка», чтобы увидеть, с кем он к ней явился... Или все же один?

Дверь лифта раскрылась. Она ахнула. Белые чулочки, красные туфельки, золотые локоны... Боже!

Катя распахнула дверь, и Олег, чуть повернувшись боком, чтобы не задеть дверной косяк, ступил в ее квартиру. На руках его спала девочка лет трех. Кудри ее были золотисто-рыжими, такими же, как наверняка у самого Олега в детстве...

— Можно ее куда-нибудь уложить? — шепотом спросил он.

— На кровать. Я вряд ли буду спать сегодня... — прошептала Катя в ответ.

Она шла за Олегом, несшим девочку, и ей страшно хотелось потрогать ее золотые волосики, но она побоялась ее разбудить.

Они устроили ребенка на кровать, прикрыли одеялом и на цыпочках вышли.

— Как ее зовут?

— Аленой, как ее маму.

Кольца на пальце Олега не было. Поймав Катин взгляд, он добавил:

— Умерла при родах. Аневризма сосудов головного мозга, о которой никто не подозревал... Алёнка досталась мне дорогой ценой. Я тогда и подсел на наркотики. Полгода глотал колеса; еще полгода кололся. Дочку отдал своим родителям, я ее ненавидел: это она отняла у меня жену! Я даже имя не хотел ей давать... Потом решил завязать, но не получалось. Хотел покончить с собой, но родителей пожалел... Когда услышал о Михаиле Козыреве, пришел к нему, соврал, что в завязке. Он меня взял. Я не представлял, что из этого получится. За соломинку хватался, что называется, — у самого силенок недостало, на Мишу понадеялся. И не зря. Я до сих пор помню его слова, после того, как он меня выслушал.

— Скажи.

— «Ты не умереть хочешь, Олег, — ты хочешь **не жить**. За смертью — ничто, а ничто нельзя желать. Но страдание — это что-то; от этого можно желать избавиться. Ты со мной согласен? Тогда давай подумаем, нельзя ли избавиться от страдания иным способом?»

Катя задумалась. Олег истолковал паузу посвоему.

— Если ты не сидела на наркотиках и не думала о самоубийстве, то ты вряд ли поймешь, насколько его слова гениальны. Я в тот момент тоже не понимал, но сразу почувствовал, что он отделил боль от желания смерти. И дал мне надежду справиться с ней иным способом.

— Не сидела на наркотиках и о самоубийстве не помышляла, но я поняла, Олег... Ты так любил ее, жену?

— Любил.

— Значит, умеешь любить.

— *Умею*? Это как профессиональное мастерство, что ли?

— Нет... Это как... Не знаю, Олег. Не найду правильные слова. Мой брат в этом лучше разбирался. Но знаю, что есть люди, которые способны любить, а есть другие, совсем неспособные... Извини, я несу чушь. Значит, ты с Мишей говорил об этом... о своей жене?

— Конечно. Иначе нельзя было, он ведь психиатр.

— И?..

— И он сказал, что я завернулся в мою Алёну, как в одеяло, под которым не слышишь, не видишь жизнь... Что боль — не конец существования, а его этап. Что в ней многое сгорает, но и многое рождается... Как в кузнице: металл горит и плавится, но из него выходит новая вещь. Новая форма бытия.

— Какая такая *новая форма*? Олег, я, оказывается, плохо знала своего брата... Я не понимаю эти слова. А ты, ты понимаешь?

— Конечно. Просто жизнь продолжается. А ты — ты уже смотришь на нее иначе. Потому что у тебя есть опыт... Опыт *кузницы*, опыт боли.

Опыт боли. У Кати он теперь тоже есть.

И она, неожиданно для себя, все рассказала Олегу. О смерти родителей, о том, как Миша растил ее, и об Арно, о своих мечтах приумножить количество *родных,* об унижении и стыде — стыде за глупость и неподобающую в ее возрасте наивность...

— «Неподобающая»? В твоем возрасте? Катя, ты очень самонадеянна, извини. Тебе сколько?

— Двадцать два уже!

— Мне скоро тридцать, и я знаю, что через каких-то пять лет ты будешь вспоминать себя двадцатидвухлетнюю и улыбаться: *каким же я была тогда ребенком*! И твоя наивность покажется тебе очень даже *подобающей*... И даже станет жаль, что она тебя покинула...

Они проговорили до утра, и только когда свет за окном набрал силу, Катя уговорила Олега поспать хоть часок рядом с дочкой. Сама она по-прежнему спать не хотела и просидела все это время на диване в большой комнате, перебирая в уме их с Олегом беседы.

— Вот и мы!

Алексей впустил Любу в квартиру. Жену он предупредил еще с дороги. Не сказать, чтоб Саша обрадовалась, но она знала: раз Алеша везет девушку к ним домой, значит, ей угрожает опасность. Такое уже случалось в его практике.

Александра взялась напоить гостью горячим чаем с медом, а Алексей нетерпеливо присел перед компьютером, вставил флешку в гнездо.

Документов на ней оказалось не так уж много. Цифры, счета, приказы — в это надо еще вчитываться, но, похоже, здесь собраны свидетельства ударного труда пильщиков. А первыми по датам шли две записи разговоров между двумя мужчинами:

«— Значит, наш друг решил, что он умнее всех?

— Видимо.

— Это следствие депрессии, думаю. У него ведь депрессия.

— Будет.

— Об этом все сотрудники знают.

— Скоро узнают.

— А депрессивные люди часто кончают жизнь самоубийством.

— По всей видимости, и этот кончит, — говорящий усмехнулся.

— Больше двух недель не протянет, горемыка».

Алексей сверился с заметками о *самоубийствах*: первое произошло через двенадцать дней после разговора.

Следующая запись:

«— У тебя хорошо получается роль психотерапевта, Антон, — смешок.

— Простите?

— Помогаешь людям выйти из депрессии.

— А, святое дело!

— Мне кажется, еще один человек нуждается в помощи. Он в последнее время чересчур озабочен финансовым положением своей семьи. Считает, что у него мало денег. У меня вздумал просить.

— Это депрессия, наверно.

— Вот и я такого мнения. Помоги ему».

Второе *самоубийство* случилось через неделю после разговора. Даты записи файлов подтверждали их очередность.

Ну а третий разговор — о третьем *самоубийстве* — Ирина не могла записать: ей уже жгло пятки, она собралась бежать.

Итак, первый «друг» — тот, который *умнее всех*, пошел против течения. Уж как именно — бог весть. Может, чересчур большой кусок урвал, вопреки договоренности; может, наоборот, грозился всю махинацию выдать. Занятно, в русском языке выражение «умнее всех» звучит как осуждение... Второй же, у которого *финансовая озабоченность*, попытался шантажировать босса. Чем? Да в таких местах, как Концерн, секретов предостаточно, нужно только найти к ним ключик! Нашла же Ирина компромат, и он мог найти. Или прознал правду о первом «суициде», это тоже компромат. Но решил, что сия участь лично его минует. Люди самонадеянны, иначе бы шантажисты перевелись на Земле. Однако они не перевелись, и очередной шантажист поплатился за самонадеянность в очередной раз.

Документы, которые сумела скопировать Ирина, помечены более поздними датами. Следовательно... Следовательно, сначала она каким-то образом подслушала эти разговоры. Интересно, каким же? Судя по низкому качеству звука, они велись в некотором отдалении от микрофона. Жучок? Вирусная программа, которая заставляет микрофон веб-камеры фиксировать все разговоры в помещении? Вряд ли Ирина Петровна Липкина, старший менеджер отдела по общественным связям (или пиара, как в народе этот род деятельности называют), обладает необходимыми для такого дела навыками. Иначе бы она работала в отделе, обслуживающем компьютеры внутренней сети Концерна. Пожалуй, гипотеза Алексея верна: ей кто-то помогал. И скорее всего тот, кто вынужденно стал третьим самоубийцей. Тот, кто выдал ее, не выдержав побоев. Или угроз убить его семью...

Итак, услышав эти разговоры, Ирина принялась копать дальше. Зачем? Тоже решила встать на опасную тропу шантажа? Или, наоборот, разоблачить махинации? На этот вопрос пока нет ответа.

Как бы то ни было, она начала копать — и накопала. Те документы, что идут после двух аудиозаписей. Компромат. Понятно, зачем ей понадобилась флешка, спрятанная в сердечке: никто и заподозрить не мог опасное информационное орудие в бижутерии.

Сто пудов, она не справилась бы сама. Кто-то ей помогал. Был ли этот человек ее любовником? Приятелем? По дружбе-то вряд ли, слишком опасное предприятие... Возможно, он рассчитывал разделить куш от шантажа. Или правдолюбец?

Увы, для него это закончилось плохо. И едва не закончилось так же для Липкиной. Однако ее по каким-то причинам оставили в живых. Намеренно или случайно, но теперь у них имеется возможность вернуться к Ирине: флешка содержит убойную информацию, и они хотят ее заполучить во что бы то ни стало.

Из чего неумолимо следует, что жизнь Ирины Петровны Липкиной в опасности. Как только она выйдет из комы, ее снова навестят. И на этот раз в живых не оставят!

Теперь вопрос: когда она выйдет из комы? А этого никто не знает. Не может знать! Следовательно...

Следовательно, кто-то должен регулярно звонить в «Склиф» и спрашивать о ее состоянии. Хотя, нет, Игорь прав: по телефону вдаваться в детали никто не станет. Значит, кто-то будет крутиться неподалеку от реанимации на четвертом этаже, чтобы не пропустить момент. Когда человек выходит из комы, всегда возникает некоторое оживление, суета, — ее и попытаются засечь. Потому что Ирина Липкина куда опаснее для преступников, чем детектив предполагал раньше: она слишком много знает. Флешка флешкой, но она и сама ходячий компромат! Без доказательств, безусловно, ослабленный, а все же опасный...

Стояла глубокая ночь. Александра устроила Любу на раскладушке в детской и сама уже давно легла спать. Все его планы на сегодняшнюю ночь не состоялись: и выспаться, и с Александрой... эх, с *Красной Шапочкой*!..

В такое время не позвонишь нормальным людям. Нормальные люди пятый сон видят. И имеют на это полное право, особенно в ночь с субботы на воскресенье...

Не страшно. Это ему, детективу, не терпится, у него мысли занозами засели под кожу. А на самом деле и завтра успеется: приемные часы начинаются лишь в полдень.

В полдень.

Глава 5

ВОСКРЕСЕНЬЕ

Катя проснулась от легкого, ласкового прикосновения. «Миша-а-а... — потянулась она руками к брату, — Мишка, как же я по тебе соску...»

— ...чилась, — закончила она фразу, с недоумением глядя на Олега, которого обнимала за шею.

— Извини, я не нарочно, — улыбнулся он.

— Мне Миша приснился...

— Я понял.

Она убрала руки.

— Я не собирался тебя будить, но мы с Аленкой приготовили завтрак, и я хотел узнать: ты поешь или будешь спать дальше?

Катя села на диване, спустила ноги на пол.

— Поем! А что у нас на завтрак?

После завтрака было решено пойти погулять с Аленкой в парк. Мелкий дождик накрапывал, но было тепло и удивительно тихо: москвичи массово съехали на дачи, и город задышал.

В парке деревья положили зеленые руки друг другу на плечи и танцевали сиртаки, то ускоряя, то замедляя темп по прихоти великого музыканта Эола, владыки ветров. Катя с Олегом брели по аллее, Аленка собирала по газонам яркие листья, подбегая к папе с каждой новой находкой, разговор струился легко, ни о чем и обо всем...

Потом они пошли в кафе есть мороженое, и оно оказалось страшно вкусным; и разложили на столе цветные листья, и сплели из них венок для Аленки с помощью заколок, нашедшихся в Катиной сумке...

И так хорошо стало у нее на душе, так тихо и тепло, словно невесомый пар ранней осени окутал ее, омыл...

А потом Олег запрощался...

И стало холодно.

«...Но только Игоря в «Склиф» нельзя отправлять: он там уже примелькался!» — с этой мыслью Кис проснулся, будто и не спал вовсе, будто все размышлял над делом.

Разбудил его звонок сотового, и он никак не мог сообразить, откуда исходит звук... Наконец-то! Алексей нашел телефон под одеждой, которую он, сонный, бросил кучей на кресле в спальне.

Звонил вчерашний его собеседник, хирург. Ни изнасилования, ни покушения на оное врачи не констатировали — это раз, отчитывался он. Били женщину практически все время в лицо — это два.

...Рискуя (или открыто угрожая) ее изуродовать, подумал Алексей. Для красивой женщины это едва ли не пострашнее боли.

Били серьезно, не щадя, без скидок на слабый пол, но ударов немного, лечащий травматолог полагает, что четыре, максимум пять, если считать по очагам гематом; потом перестали по каким-то причинам — это три.

...Потому что она назвала Козырева, подумал детектив.

Липкина могла потерять сознание не сразу. Говорите, нашли ее недалеко от дорожки? Так вот, вполне вероятно, что она выбралась туда сама, надеясь позвать на помощь. И уже там потеряла сознание, а затем впала в кому — это четыре.

...И это более правдоподобно, чем гипотеза о бандитах, позаботившихся о спасении Ирины.

Есть еще небольшая гематома и трещина в ребре, но не от удара. Скорее, травма получена, когда ее слишком сильно обхватили, чтобы не сопротивлялась. Ну и насчет комы: фатальных травм мозга нет. Ее врач считает, что она выберется. Это пять.

— Когда?!

— А вот этого никто вам не скажет, Алексей Андреич. Врачи терпеть не могут прогнозы. Но я, в силу особых наших с вами отношений...

О да, отношения у них *особые*, как и дело, которым Кис занимался: в нем были замешаны три женщины: жена, любовница и дочь хирурга, которые никак не могли поделить его любовь... *Особенно* его деньги!

— ...в силу наших отношений я все-таки рискну сделать прогноз. Липкиной сделали пункции для отсасывания свернувшейся крови, то есть гематом. От ударов, полученных в лицо, мозг сотрясся — почему мы и говорим о *сотрясении* — и стукнулся о черепную коробку. Поэтому, хоть и били Липкину в лицо, гематомы образовались совсем в других местах... не буду утомлять вас медицинскими подробностями. Просто скажу, что после пункций рассасывание гематом пошло значительно веселее — организм молодой, здоровый, и есть шансы, что она придет в сознание уже на следующей неделе. *Шансы*, вы поняли?

— Спасибо огромное, — с чувством проговорил Алексей.

— Во-первых, не за что: я ничего вам не говорил, не вздумайте на меня ссылаться. Во-вторых, «спасибой» не отделаетесь: с вас бутылка хорошего виски.

— Две, — быстро отреагировал Кис. — Вторую за то, чтобы вам сообщили, как только Липкина выйдет из комы. А вы — сразу же мне...

Что молчите? Это сложно сделать? Я невыполнимое попросил?

— Соображаю, не стребовать ли третью, — хирург хохотнул, как всхлипнул, и отключился.

Закончив разговор, Алексей надел халат, влез в шлепанцы и вышел из спальни. С кухни доносились голоса. Э-э-э, да там ведь Люба! А он в халате, и под халатом ничего, кроме пижамных трусов... Совершенно дурацкая одежда халат: полы расходятся, как только сядешь, обнажая голые волосатые ноги до самого причинного места, и приходится все время его запахивать... но об этом не задумываешься, пока нет посторонних.

А сейчас вот есть. И что делать? Пойти переодеться? Но тогда надо сначала принять душ: нельзя же чистую одежду надевать на себя, не помывшись! Неважно, что мылся вечером, с тех пор целая ночь прошла.

Но идти в душ сейчас не хотелось, потому что сейчас хотелось кофе. Но на кухне Люба. Похоже на головоломку про козу, капусту и волка. Черт. В конце концов, он у себя дома! И может ходить, в чем ему нравится!

С решительным видом Кис заявился на кухню.

— Привет, девушки! — он кивнул Любе и обнял жену. — Как спалось?

Оказалось, что всем спалось отлично. Кроме него, разумеется. Точнее, спал-то он неплохо, да только мало. Кис был «совой» и соней: он обожал тусить (чаще сам с собой, с размышлениями своими) по ночам, но ненавидел просыпаться по утрам. Однако жизнь почему-то упрямо не хотела с ним считаться.

Саша подвинула ему тарелку со стопкой тостиков и увела Любу с кухни, будто догадалась, что муж озабочен своим дресс-кодом. Впрочем, никакое не «будто» — просто догадалась.

Обрадовавшись, Алексей перестал думать о полах халата и волосатых голых ногах, он сосредоточился на таинстве приготовления кофе вкупе с мыслями о том, что дальше делать с Любой. Не может же она жить у них в квартире вечно! Тем более что возник неразрешимый халатный вопрос... Ну, не вечно, конечно, а пока он, детектив, не сочтет, что опасности для Любы больше не наблюдается.

В последнем и была вся загвоздка.

Как они вышли на Любу? Они знали от Ирины Липкиной, что флешка у Козырева... Однако в его квартире сердечко не нашли, теперь уже абсолютно ясно, что не нашли. Стало быть, принялись рыть вокруг Михаила: с кем общался-встречался, кто у него бывал. А бывала чаще всех Люба.

— Люба, — высунул Алексей нос из двери кухни, — вы приходили к Мише в пятницу? Субботу? Воскресенье?

— В воскресенье. Мы план составляли на следующую неделю.

— Соседи вас знают? Вы с ними сталкивались?

— Сталкивалась, конечно, я ведь к Мише уже сколько лет хожу...

У соседей, видать, о Любе и разузнали. И раз не нашлось сердечко у Козырева, то вполне логично предположить, что он отдал его своей помощнице. Вот так.

Он вспомнил, хрустнув тостиком, мысль, с которой недавно проснулся: Игорь в «Склифе» уже засветился! Его нельзя туда снова посылать!

...Впрочем, пока Ирина в коме, охранять ее не надо. А когда она придет в сознание, то детективу сообщат. В данный же момент если там кто и крутится, то простой осведомитель: внимательно следит за состоянием здоровья Липкиной.

Но — но! — *осведомитель* не может постоянно торчать у палат реанимации, его бы там уже давно засекли. Значит, он действует иначе. Он туда время от времени наведывается... Типа, по коридору мимо проходит... Слушает, что говорят врачи, есть ли какое-то оживление во второй палате... А между ходками торчит где-то поблизости. Куда еще ему деваться? У него задание, он его выполняет. Ну, разве в кафе сходит ближнее...

Вот его и надо вычислить.

— Игорь, у меня преинтереснейшая информация. Саги и былины в трех томах!

Кис описал события вчерашнего вечера: информация из отеля в Тунисе, нападение на Любу, раскрытие тайны серебряного сердечка, беседа с хирургом... И свои умозаключения, разумеется.

Игорь, кто бы сомневался, пришел в восторг: интересно-то как все повернулось!

— Ага, крайне интересно, — согласился Кис. — Я бы даже сказал, чересчур... А ты отправляйся в «Склиф». Но в «Приемную» больше не ходи. Состояние Липкиной не только мужа интересует, но и убийц, сечешь? Осмотрись в непосредственной близости от больницы: не мается ли кто в ожидании, время от времени в нее заныривая.

— Думаешь, Ирину могут...

— Думаю.

— Еду.

— Только ничего не предпринимай, слышишь? Если увидишь что подозрительное, сразу мне звони!

Так, похоже, одну проблему разрешили. Теперь с Любой. Отправить ее к себе домой одну никак нельзя. Поверили ей вчера бандиты или нет, то Алексею неведомо. И рисковать ее жизнью он не намерен. Но Ромку туда не пошлешь, по тем же причинам.

Значит...

— Саша, ты не поможешь мне? Я тут никак джем не найду...

Алексей никогда сладким не увлекался, да надо же что-то сказать, чтобы завлечь жену на кухню!

Саша вошла и прикрыла дверь за собой. Все поняла насчет *джема*.

— Что, Алеш?

— Любу некуда девать. Домой ей нельзя. Ты не против, если она останется у нас еще на пару дней?

— Не грузись.

— Точно?

— Вот же глупость сморозил.

— Да? — спросил Алексей и устыдился.

Действительно, глупость сморозил. У Саши наверняка имеется свой «халат» в мыслях, но это совсем не повод отправлять девушку туда, где ее, с высокой вероятностью, подстерегают бандиты.

Итак, проблемы безопасности двух женщин вроде бы разрешились. Временно.

Временно, потому как с момента, когда Ирина Липкина выйдет из комы... (Если выйдет, конечно...) Начиная с данного момента понадобятся другие силы, более солидные. Желательно, вооруженные.

И Алексей набрал номер Сереги Громова, друга закадычного с Петровки.

Не хотел: рано еще Серегу вовлекать. Кис любил делиться результатом, но не любил делиться процессом — это его личное творчество и таинство... Да деваться некуда.

Серега был москвичом, следовательно, пребывал в воскресенье на даче. Это почти аксиома.

— И что бы я без тебя делал, Кис? Со скуки бы помер! — заявил Серега, выслушав Алексея. — Так что, отдаешь дело нам?

— Не мечтай! — рассердился Кис. — Я ж тебе человеческим языком говорю: просто помоги. Потом все твое, как всегда.

Так бывало не раз: Алексей преступление раскрывал, или, скромнее говоря, *разминал*, на финальной стадии просил помощи у Громова, чтоб бравые парни с погонами да пистолетами поставили в нем точку. И потом раскрытое дело засчитывалось операм, премии падали, а то и звездочки на погоны. Алексею Кисанову не жалко, он не тщеславен, а ребята в Системе живут, так пусть она расщедрится.

— *Просто* — не могу, Кис. У нас тут правила ужесточили, контроль да проверки. Если дам тебе своего человека, то дело должен завести.

— Какое *дело*, Серег? У меня лишь одни догадки да гипотезы! Нет улик, нет ничего материального... А логику к делу не пришьешь.

— Леха, кончай.

— Говорю: никакого *дела* еще нет, ясно?

— Чувак, я ж правда хочу помочь, но... Ладно, давай так: сегодня там Игорь на посту, да? Завтра я явлюсь на службу, и, если никакого аврала не случится, я Димычу дам отгулы, он давно просит. А ты с ним в частном порядке договорись.

В частном порядке — это за отдельную плату. Ничего особенного, такое уже не раз бывало. Алексей платил лабораториям, девушкам, «сидевшим» на важной информации, и прочим спецам, выполнявшим для него разную работу. Кис не признавал халявы и никогда ни о чем не просил «по дружбе».

Он не стал говорить Громову, что сам работает бесплатно.

Закончив утренние процедуры, Алексей спустился во двор. За это утро он несколько раз изучал его через окно, но ничего подозрительного не обнаружил. Следовало, однако, проверить более капитально.

Мысль его состояла в следующем: вчера Люба, когда бандиты рвали на ней одежду, по-настоящему испугалась, растерялась и не понимала их вопросов, так что они могли ей поверить. Поверить — и уйти, оставить ее в покое.

Но могли и не поверить. Тогда затаились. И выжидали, когда она пойдет к себе, чтобы ворваться вместе с ней в квартиру и обыскать. В этом случае они должны были следить за подъездом в ожидании Любы. И существует вероятность, что засекли, как она села в машину Алексея. Детектив оставил тачку в стороне, не перед домом, а на боковой дороге, но увидеть можно было. Зависит от того, как смотрели: тупо в пятачок у подъезда или обшаривали глазами окрестности.

Люба сказала, что эти парни по-русски плохо говорили... Наняли случайных людей? В таком случае, все шансы, что такие *смотрели тупо*: откуда у них навыки слежки? Но на шансы полагаться нельзя. Его машину могли засечь, номер записать и адрес детектива узнать. Посему он отправился во двор самолично.

Интуиция ему нашептывала, что никого тут нет. И дело даже не в предполагаемой тупости исполнителей, дело в осторожности нанимателей. Не стали бы они волну поднимать да Любу у детектива доставать, от них и без того слишком много волн идет.

Алексей надвинул капюшон на лоб и совершил круг почета вокруг дома и в окрестностях. Нет, ничего подозрительного не наблюдается... Тем лучше!

Вернувшись домой, он засел у себя в кабинете. Люба с Сашей собирались на прогулку с детьми — отличная идея! Тем более что няня выходная по воскресеньям. А Кис пока поработает, поразмыслит.

Итак, выстроим теперь все по порядку. Он начертил прямоугольник и написал в нем: КОНЦЕРН.

От нижнего края прямоугольника направил вниз две стрелки, указывающие на два кружочка: это два убийства (под видом самоубийств).

От кружочков снова шли вниз стрелки, сходясь на сердечке, символизировавшем флешку, и написал в нем: ЛИПКИНА. Именно с двух разговоров о предстоящих убийствах она вступила в рискованную игру. В ее распоряжении оказался компромат, крайне опасный для Концерна. Зачем Ирина его собрала? Шантажировать убийц собиралась или разоблачать? Не знаем. Зато знаем, что за компромат.

Итак, Липкина вступила в действие после двух убийств, и от нее пошла новая линия. Вот и она: от сердечка направилась вниз новая стрелка. На этот раз Кис нарисовал овал и поместил в него фамилию: КОЗЫРЕВ. Случайная, рикошетная жертва в чужих играх.

Так, теперь третье (само)убийство. Третий кружок, соединенный стрелками с прямоугольником (вертикально) и с сердечком (горизонтально).

Алексей посмотрел на свою схему: да, все правильно.

А вот куда поместить любовника Ирины — непонятно. Он работает в Концерне, и роман их длится полгода — это все, что мы знаем. Кто он? Тот ли, который помог ей добраться до информации и поплатился за это жизнью в качестве третьего *самоубийцы*? Или, напротив, тот, кто отдавал приказы? Чей голос слышен на аудиозаписях? Это большая шишка, без сомнения. Но зачем бы Ирине собирать компромат на любимого?

Хотя... Почему бы и нет... Роман их длиной в полгода, а первые файлы Ирины записаны два месяца назад, то есть спустя четыре после начала романа... Сам по себе роман не успел бы изжить себя, хотя всяко бывает. Но раз Ирина принялась шпионить за ним, то на это была причина. Значит, он ее обидел... Сильно обидел. А что, если... если она заподозрила его в неверности? Не шантажистка и не правдоискательница, а влюбленная женщина, жаждущая мести?

О-о-о, какая прелестная мысль! Решила, к примеру, пошпионить за любовником из ревности. Установила в его кабинете прослушку (с помощью приятеля из компьютерного отдела), не случайно же на ее флешке первыми стоят аудиозаписи! Не случайно, нет: Ирина с них начала. С прослушки. И вдруг услышала такое... Такое, что за голову схватилась. От радости (что нашла рычаги воздействия на неверного) — или от ужаса (поняла, что была влюблена в убийцу)...

И дальше пошло-поехало: азарт взыграл. Получив в руки первый пласт информации, Ирина разохотилась, увлеклась. Может, и сама не знала, что с этим делать будет... Но кто-то засек ее сообщника, а тот Ирину выдал...

Стоп. Это лишь домыслы. Все могло быть иначе: ее любовник — парень из технического отдела, и они решили разоблачить убийц, вывести их на чистую воду.

Красиво звучит. Но откуда Ирине было знать, что за самоубийствами скрываются убийства, до того, как она услышала разговоры в кабинете? Такая информация тщательно скрывается, в нее посвящены только участники...

Идея, что Липкина начала следить за любовником из ревности и случайно попала на эти разговоры, Алексею представлялась более убедительной. К тому же она не раз хаживала в кабинет любовника (возможно, там они не только беседовали о работе), и ей было легко «забыть» там какую-то вещицу со встроенным микрофоном...

Правда, скопировать документы из компьютера она могла лишь в его отсутствие. И вот тут застукал ее любовник в своем кабинете. Или его секретарша, неважно.

Другой вариант: она влезла через интранет, внутреннюю сеть, в комп любовника. Или приятель ее, айтишник, залез.

 Собственно, документов на флешке шесть или семь... Алексей снова вставил ее в компьютер, открыл содержимое. Да, шесть, и скопированы они в разные дни, но все на неделе перед уходом Липкиной в отпуск. Последний документ она записала на флешку в четверг.

Видимо, именно в четверг они чем-то выдали себя. За версию с приятелем-компьютерщиком голосует еще тот факт, что в пятницу Ирину Петровну не тронули. Если бы о ней знали, она бы даже к Козыреву на прием не попала! И тем более в аэропорт... Значит, догадка верна: был у нее помощник, и он какой-то след нечаянно оставил, не замел.

И в пятницу с ним уже «побеседовали». Он не выдержал, сдал Ирину и сам погиб под колесами пригородной электрички. После которых тело превратилось в окровавленный, порванный шмат мяса, и на нем ни одному эксперту не заметить следов пыток...

В общем, теория сложилась. Насколько верная? Пока неизвестно, но это не так уж и важно: в целом она правдоподобна, сейчас этого достаточно. Куда важнее понять: а чего, собственно, он, детектив, хочет? Какова его цель? Найти убийц и отдать их в руки правосудия?

Самое милое дело, конечно. Только в Концерн детектива Кисанова никто не допустит, вопросы он там никому задать не сможет, и мечтать не стоит. А насчет «рук правосудия»... э-э-э... Руки эти к высоким чинам ласковы, погладят по головке да пальчиком погрозят, на чем правосудие и завершится.

Однако Алексей знал: пока вещь не названа, ее как бы и не существует. И не столь важно, куда развернется дышло людского правосудия, он, Алексей Кисанов, должен назвать вещи своими именами: убийцу — убийцей. А якобы самоубийства — убийствами.

«Ладно, — решил детектив, — будем копать, пока копается. А там разберемся».

Кое-какая информация *закопана* совсем неглубоко, — лопата не понадобится, так, совочком обойдемся. И содержит ее, информацию, мобильный Ирины Липкиной: список контактов, отправленные и полученные сообщения. Алексей не знал, где ее телефон, нашли ль его в Тунисе и что с ним после этого сталось, зато у него была знакомая барышня, которая имела доступ к нужным сведениям. С нее Кис и начал.

Весьма возможно, что фирма оплачивала корпоративные сим-карты для служебного пользования, — такую симку пробить вряд ли удастся. Но обычно люди, работающие в крупных конторах, заводят другую, свою, личную, не подвластную контролю фирмы. На это Алексей и рассчитывал.

В ожидании ответа от *барышни* он решил обмозговать, как бы подобраться с расспросами к Ирининому мужу, не слишком выдав причины своего интереса. Он может оказаться в зоне внимания преступников, рисковать нельзя...

Собственно, для начала следует очертить вопросы, которые детектив хотел бы ему задать. Первый — о компьютере: был ли у Ирины дома стационар или она пользовалась только ноутбуком, с которым на отдых и поехала?

Из разговора Игоря с Евгением Николаевичем следовало, что тот не шибко умен. При этом крайне высокого мнения о себе, как и свойственно дуракам. Если бы он, Алексей, оказался на месте Ирины... Она ведь не могла не понимать, что он дурак, а?

Он прикрыл глаза — так удобнее было представлять себя на месте другого человека — и задал себе вопрос: стал бы он сохранять информацию в компьютере, к которому имеется доступ у *дурака*?

Глупо. Ответ известен изначально. Не стоило и трудиться.

Второй вопрос к мужу Ирины — это подробности ее связи с любовником. Евгений Николаевич утверждал, что Ирина ему в этой связи призналась. Знает ли он больше, чем сказал Игорю?

Интересно, а зачем она мужу призналась? Обвела дурака вокруг пальца, польстила ему своим доверием и выиграла право не приходить ночевать домой? Как она вообще замуж за такого вышла, непонятно...

Игорь сказал, что муж смахивает на профессора престижного вуза. Возможно, Ирина была его студенткой? Преподаватель блещет знаниями перед невеждами, отчего кажется страшно умным... Ухоженный, галантный — таким он выглядел в описании Игоря, — Ирина влюбилась. Разглядела, что он глуп и напыщен, только тогда, когда уже оказалась его женой... Чем не вариант? Вполне.

Его телефон ожил.

— Алексей Андреевич, я нашла, — сообщила *барышня.* — Записывайте!

Часть работы сделана. Теперь, когда детектив знает, у какого оператора купила сим-карту Ирина, нужно попросить распечатку звонков... Сереге Громову проще простого сделать официальный запрос и ответ быстро получить, да ведь он сказал, что не может помочь, пока официально не заведет дело...

Так-так-так, кто у нас имеется в данной конторе? Алексей просматривал свою записную книжку в компьютере. От бумажного варианта он давно отказался: ни одна телефонная книга не в состоянии выдержать количество записей детектива. К тому же ему было куда удобнее организовывать их тематически, а на бумаге это невозможно.

Он нашел раздел «Сотовый», затем пролистал подразделы: «Шпионские программы», «Навигаторы», «Прослушка»... Ага, «Операторы»! А вот и он, нужный человек: Толя Трофимов.

Звонок от Игоря помешал детективу набрать номер.

— Шеф, тут много непонятного народцу, я даже не представлял, что люди способны торчать у больницы часами... Зачем?

— Возможно, близкий человек при смерти... Горе толкает в спину, хочется бежать, бежать, неизвестно куда... как будто от горя можно убежать.

— Таких сразу видно. Я о других, скучающих. Приметил я одного парня, у него мотоцикл. На Катю ведь *мотоциклист* напал, верно?

— Надо полагать, раз он в шлеме был. И кто это?

— Лет двадцати двух-трех, невысокий, худой, светловолосый, под курткой костюм с галстуком, который идет ему, как гусю пуанты. Он уже два раза заходил в «Склиф», а потом возвращался к своему мотоциклу и ждал. Морда у него ничем не озабоченная, скучающая. Но самое интересное, что вчера я его тоже видел, мельком, за воротами.

— Стало быть, и он тебя вчера видел?

— Скорей всего.

— А сегодня?

— Нет. Сегодня ты меня **следить** за подозрительными личностями отправил, так что действую с обычными предосторожностями... Кис, сейчас начнется перерыв в приемных часах, он наверняка уедет, хотя потом снова вернется, думаю. Что мне делать? Продолжать следить за ним или оставаться на месте?

— Номер его мотоцикла, марку.

— Записывай.

— Фото сделал? — спросил детектив, закончив писать.

— Уже в твоей почте. И в шлеме, и без, и в профиль, и почти анфас. Снимал издалека, но неплохо получилось.

— Круто. Вряд ли ты поспеешь за мотоциклом, но рискни. Себя не выдавай, это важнее, чем слежка: он тебя вчера приметил, это нехорошо... И держи меня в курсе.

Толя Трофимов, прикормленный парнишка у нужного сотового оператора, оказался выходным. Не потому, что воскресенье, а потому, что смена не его. Просить кого-то из коллег он решительно отказался — якобы боится, что его заложат начальству. Вот завтра он выйдет на работу и немедленно выполнит просьбу уважаемого Алексея Андреевича... Но Кис подозревал, что Толя просто жадничает: если коллега поможет, то придется с ним делиться «гонораром» от детектива.

Однако настаивать он не стал: неприятности с начальством — отмазка хорошая, против нее не попрешь. А сам себе пообещал найти другого человека для подобного случая, не столь скаредного.

Пока же ничего не попишешь, завтра так завтра. Многовато у него уже дел, отложенных на завтра...

Детектив набрал, сверившись с записной книжкой, новый номер.

— Танюша? Пробей мне номер мотоцикла, диктую...

Алексей едва успел закончить разговор, как его мобильник пиликнул: пришло сообщение от Игоря. *«Он вывернул на проспект Мира и пока едет по нему прямо, не сворачивая, в сторону ВВЦ. Пробок мало»*.

А если повернуть от метро «ВДНХ» на узкую тенистую улочку, где расположилась с давних времен Киностудия имени Горького... Да чуть углубиться в кварталы за ней...

То вот и дом Алексея Кисанова!

— Саша? — прокричал детектив в трубку. — Немедленно домой! Ты, Люба, дети, — все!

Нет, интуиция детектива не подвела: действительно утром никто не наблюдал за его домом. А вот мозги подвели: с чего это он взял, будто Люба у него в безопасности? И что его собственная семья ничем не рискует?!

Им нужна флешка Ирины. И они готовы на все!

Кис, конечно, прав: волн и без того много, они теперь будут осторожничать. Тем не менее мотоциклист едет в сторону его дома. ЕГО. Где не только Люба, но и Александра, и Лизанька с Кирюшей...

— Алеш, не волнуйся, мы уже в подъезде! — раздался в трубке голос жены.

Парень этот на мото — не убийца, лишь осведомитель, но не нужно ему видеть Любу в компании Саши, совсем не нужно!

Алексей прилепился к окну — аккуратно, за занавеской. Он слышал, как вошли Саша с детьми и Люба, и распорядился не подходить к окнам.

— За нами следят, Алеш?

— Не знаю. Саш, сейчас не лучший момент, чтобы задавать...

— Ладно. Люба, поможешь мне уложить малышей? — услышал Алексей. — Им днем положена сиеста. Сначала покормим, потом в кроватку. Они любят сказки, а ты?

Кис смотрел в окно. Он понял, где прокол в его логике, что он упустил. И как они могли вычислить его, частного детектива. Нет, о нет, не во дворе у дома Любы — **раньше!** Ведь за квартирой Михаила *следили*. Да, следили с одной целью, главной: чтобы туда забраться, как только представится возможность. Она и представилась, когда приехала Катя. Но раз следили — то видели, как туда вошел Алексей! С Игорем, с Любой, с Александрой... И если этот парень на мото — а следил он, как мы знаем, — не полный дилетант, то засек и номер джипа!

Болван. Болван-болванище. Какой прокол, блин, какой непростительный прокол...

По большому счету, вчера эти, которые плохо говорят по-русски, могли и не видеть, куда подевалась Люба. Но сегодня ее не обнаружили дома. И связать ее исчезновение с Алексеем Кисановым — тут и семи пядей во лбу не понадобится!

Нельзя недооценивать противника. Если он, частный детектив, может получить уйму информации по своим личным каналам, то всемогущие люди, работающие в Концерне, получат ее даже быстрее и полнее! И они с пятницы знают, что частный детектив Кисанов интересуется смертью Козырева. Что он был в его квартире. Что он связан с Катей, с Любой. И если сердечко не нашли у девушек... То на очереди он, Алексей. Его квартира. Его семья.

Да, да, бандиты должны вести себя осторожно: три самоубийства в Концерне, избиение Липкиной, смерть Козырева, нападения на Катю и на Любу — засветились выше крыши. Но если они в панике... Как далеко это может их завести?

Похитят его детей? Александру? Его самого? Будут пытать, чтобы вернул флешку?

Кис едва не схватился за телефон, чтоб звонить Сереге, чтоб отдать ему дело, чтоб обезопасить семью, но удержался. Это жест отчаяния, последний жест, — успеется, если дело примет совсем крутой оборот... А пока он подождет, посмотрит, как разворачиваются события.

...И вот вам пожалуйста, мотоциклист. Алексей увидел в окно, как он объехал сквер, вглядываясь в каждого прохожего. Остановился, говорит по мобильному. Докладывает, спрашивает, какие будут указания.

А вон и машина Игоря. Аккуратно встал, на приличном расстоянии.

Все, парень на мото поехал обратно. В больницу? Перерыв в приемных часах скоро закончится...

— Игорь, проводи его. Если он в больницу, то можешь уходить. Но вернись к концу приемных часов, посмотри, куда поедет, с кем встречается.

— Заметано, шеф!

Ну нет, сукины дети, Алексей Кисанов так просто не сдастся. И знаете, сукины дети, почему? Потому, что он умнее вас. И он вас — сделает!

Звонок. Танюша.

— Алексей Андреевич, пишите: мотоцикл на имя Владимира Георгиевича Смылко, он зарегистрировался четыре месяца назад по адресу своего дяди, Антона Владимировича Смылко...

Алексей записал. Стало быть, Владимир Георгиевич — сын брата Антона Владимировича, поскольку носит ту же фамилию. И имя в честь деда, видимо. Но самое интересное заключается в том, что имя Антон детектив слышал на аудиозаписи, которую сделала Ирина. Специалист по «депрессиям».

То есть убийца.

Совпадение? Маловероятно.

Хотя... Есть шанс это проверить! Как же сразу-то не сообразил, ведь у Михаила есть видео с сотрудниками! А к ним имена и фамилии, должности, возраст... И голоса! Нужно сравнить голос на аудиозаписи Ирины с видеозаписями Козырева! Только как, когда? Прямо сейчас поехать к Кате? А к Вове Смылко наведаться позже?

Плохо, что мальчишка живет в квартире дяди. Слишком много там народу — дядя, да еще вдруг с семьей, иначе бы Алексей уже сорвался, уже бы ехал по адресу...

Впрочем, адрес оный несколько удивляет: Сиреневый бульвар. Это в районе метро «Щелковская», местечко не назовешь престижным... А что, если Антон Владимирович обладал такой скромненькой квартиркой лет десять-пятнадцать назад, но с тех пор, усердно и преданно трудясь на благо могущественных людей из Концерна (и, понятно, получая за службу большие бабки), перебрался в какие-нибудь роскошные апартаменты в центре Москвы или в подмосковный особнячок, записанный на имя тещи? И оттого не засветившийся в анналах полиции?

Короче, съездить не мешает. Своими глазами посмотреть. Никогда не знаешь, какой сюрприз преподнесет тебе жизнь.

— Игорь, куда наш мальчонка держит путь?

— В «Склиф», похоже.

— Я сейчас наведаюсь по его адресу. Когда он двинется из «Склифа», дай знать.

Перед уходом Алексей наказал жене ни в коем случае сегодня не выходить из дома и дверь никому не открывать, каков бы ни был предлог. «Я уверен, что в квартиру они не полезут, но... Сама понимаешь. Будь начеку, Сашенька. И при малейшем подозрении звони в полицию и мне!»

Из машины детектив набрал номер Кати. Девушка оказалась дома и была грустна. Алексей отчего-то расстроился. Он Катю едва знал, брата ее и вовсе никогда не видел, но... Но почему-то остро ощущалось ее одиночество, ее горе, будто она была близким человеком. Прямо хоть поезжай да обними. Чего, разумеется, он не сделал бы ни при каких обстоятельствах: кто она ему? Еще неправильно поймет, не приведи бог.

Он поискал слова, но ничего не нашел лучше, как спросить о ее настроении. Глупо, настроение ее звучало в голосе, — да вот беда, другие слова не нашлись.

— Спасибо, Алексей Андреевич, ничего.

Ну, естественно, иной ответ его бы удивил: Катя не из тех людей, что развешивают свое горе, как белье на веревке, на всеобщее обозрение.

— Олег звонил утром, сказал, что стерег вас и что ночь прошла спокойно.

— Да. Как вы и говорили, никто не пытался проникнуть в квартиру, где находятся люди. Вы были правы.

— Вы не очень заняты сейчас, Катюша?

— Нет.

— Выручите меня. Мне нужно кое-что уточнить в файлах вашего брата, но я должен сейчас ехать в другое место. Поможете?

— Конечно. Говорите, что и где искать.

— Помните, мы с Игорем просматривали отчеты Михаила по Концерну? Вы тоже к нам подсаживались время от времени. Там видеофайлы — записи каждой встречи, плюс по документу на каждую дату с комментариями для будущего отчета.

— Помню.

— Просмотрите эти документы, есть ли среди посетителей первой недели Антон Владимирович Смылко.

— Хорошо.

— Катя, это срочно...

— Прямо сейчас и займусь. Не волнуйтесь. Я вам перезвоню.

Она перезвонила через двадцать минут. Не такая уж адская вещь пробки, можно спокойно дела обсудить...

— Просмотрела отчеты по всем дням. Нет такого.

Бац. А он, Кис, так надеялся.

— Ладно, спасибо...

И вдруг его ужалила мысль: **понедельник**!

Миша должен был работать в понедельник! Но где его записи? Он пришел со своим телефоном домой, с ним же и выпал из окна, перекачать не успел...

А что, если Михаил пересылал их прямо с мобильного к себе на почту? Это было бы умно, телефон вещь ненадежная, может упасть и разбиться, в луже утонуть, могут из рук вырвать...

Да, но Игорь ведь в почту Козырева заглядывал! Хотя нет, ничего это не значит, — он смотрел с другой целью: он фотографию сердечка искал, причем в отправленных письмах. Так что на входящие внимания не обратил.

— Катя, посмотрите еще в его почте. Вдруг ваш брат переслал сам себе файлы за понедельник? Он ведь был в Концерне, наверняка записал свои собеседования, вдруг они в почте висят! Отчет-то он вряд ли успел написать... Но хоть видеозаписи... Вам не сложно?

— Не сложно. Я перезвоню.

Еще через пять минут Катя доложила: «Есть. Мне надо их просмотреть?»

Алексей решил, что посмотрит сам. Попозже, после того, как разберется с жилищем Вовы, Владимира Смылко.

Набор универсальных отмычек у Алексея имелся. Дружище Реми подсобил, — как его, деверь? Или шурин? В общем, муж Сашиной сестры, Ксюши.

Он без труда вскрыл квартиру на Сиреневом бульваре. Хрущевка, двушка с тесной прихожей и крошечной кухней. Засрана до потолка. Грязные обои, залапанная мебель, немытая посуда, объедки на столе, и тараканы чувствуют себя здесь, как на курорте «все включено».

Алексея интересовали в этом свинарнике генетические следы — завтра (ох, как он уже ждал этого растреклятого ЗАВТРА!) — *завтра* он получит из лаборатории анализ ДНК с мраморной пепельницы, которой ударили Катю. Если там оный след окажется, конечно.

Первым делом, разумеется, зубная щетка. На ней полный набор дезоксирибонуклеиновой кислоты... ДНК, короче.

Спрятав щетку в пакетик и брезгливо подобрав пару волосков с раковины, Алексей решил не торопиться с уходом. Раз уж он попал в эту квартиру... Незаконно, конечно. А убивать людей — законно?! Этот парень прислуживал дяде, а дядя его убийца. И он, Вова, племянник, — тоже. Он пешка, мелочь, исполнитель — так, квартиру обыскать, в окошко человека отправить, под поезд метро спихнуть... Вряд ли он стал исполнителем во всех убийствах, но к каким-то из них наверняка причастен!

Детектив осмотрелся. В этой бедноте и бардаке имелась лишь одна дорогая вещь: ноутбук. А возле него, помимо объедков и грязной чашки из-под непонятного напитка, давно превратившегося в сухой черный обод по дну, валялся спрей с кортизоном. Вова астматик? Или просто аллергик? Если так, то шансы найти его ДНК на пепельнице увеличиваются: он, скорее всего, покашливает...

Алексей запустил компьютер, поискал почтовую программу, но не нашел. Если у парня и имелась электронная почта, то на каком-то сайте. И к ней нужен пароль...

Ладно, а что тут на скайпе? Знакомый значок висел на экране, но его не было на панели задач, стало быть, программа не запущена. И это плохо. Понадобится пароль...

Кис щелкнул по значку. Так и есть: требует пароль, гад.

Детектив осмотрелся в надежде на какую-нибудь подсказку. Людям часто свойственно делать такую глупость, как записывать пароли от разных программ где-нибудь рядом с компьютером... Ну же, ну, давай, найдись! Алексей открывал ящики, перебирал мелкие листки с разными записями, пролистал календарь, висевший на стенке с фотографиями мотоциклов... Вот, ура! Сразу несколько, от разных программ, видимо. Или каких-нибудь «Одноклассников». Или порносайтов... Но, что интересно, во всех них содержалась Вовочкина фамилия — smylko, к которой лишь добавлялись разные цифры. Молодец, Вован, компьютерный гений просто!

Детектив ввел по очереди разные комбинации с календаря — и вуаля! Скайп открылся.

Первым делом детектив отключил программу от Интернета — не хватало еще, чтобы его друзья или дядя решили, что Вова у компьютера! Да и сам Вова может иметь скайп в телефоне, не дай бог, какое сообщение выскочит, мол, вашим скайпом пытаются воспользоваться с другого компьютера... Вот так-то лучше!

Детектив принялся читать страницу обмена сообщениями...

И выпал ему расчудесный подарок. Ну, говорил же я вам, парни, что я умнее? И что вас сделаю?! А вы — вы расслабились. Высоко сидите, решили, что вам уже и мир к ногам, и боги помогают? А вот фигушки! Оставили в скайпе переписку, придурки.

Человек, с которым Вова особенно активно общался, имел псевдоним Ан_тон. Гениально.

И правда, придурки — Кис даже удивился, что так неосторожно поступили. Может, потому, что пользовались программой с мобильных? Позвонить далеко не всегда можно, если ты на людях, другое дело отправить короткий текст. А он падает в скайп. Когда могли, племяш с дядей созванивались и разговаривали, — программа хранит записи о том, в какой день и час был сделан звонок и сколько времени длился. Но, главное, в текстах сообщений, которые сохранила программа, были вполне недвусмысленные свидетельства о том, какого рода задания получал и выполнял Владимир Смылко! А ведь есть в скайпе простейшая опция: «не сохранять историю сообщений». И все, и ни одного следа не осталось бы! Но нет, ума не хватило...

Алексей подавил желание вытащить жесткий диск и унести его с собой, — нет уж, изъятие такой мощной улики нужно официально оформить! Пока же он достал свою флешку, в которой имелось немало нужных программ-инструментов. С помощью одной из них он архивировал все сообщения на скайпе и перекачал их на флешку, затем переслал копию на свой и Игоря электронные адреса, для пущей надежности, после чего уничтожил все следы своего вмешательства в чужой компьютер.

Кис собирался уже уходить — с нежданным уловом, который его весьма, весьма порадовал, — как вдруг передумал. А что, если... А что, если парнишку дождаться и прижать... Он неопытный, еще (бум надеяться) не заматерел в преступлениях, только перед дядей богатым-столичным выслуживается... Хочется сытой жизни, оно понятно, но вдруг еще совесть осталась? Вдруг еще теплится сознание, что не такой ценой сытость свою следует зарабатывать?

Однако по зрелом размышлении детектив решил не рисковать: если он возьмет сейчас мальчишку, то дядюшка соскочит. А ему нужен и дядюшка, и тот, кто ему убийства поручил.

Он покинул квартиру Володи Смылко с предосторожностями и позвонил Кате.

Катя не имела ничего против приезда детектива, и он направился в Матвеевское.

Увидев девушку, печаль, темнившую ее глаза, Алексей вспомнил, как хотелось ему обнять ее и пожалеть, но, конечно же, не посмел этого сделать. Деловито попросил разрешения (уже даденного, но надо же что-то сказать) просмотреть почту Козырева; присел нетерпеливо к компьютеру и принялся изучать папку с входящими письмами.

Так и есть: Михаил отправил сам себе видеозаписи понедельника! Отчетов и комментариев к ним не было, что понятно: это род «домашней работы», которую Козырев делал потом, но, как только он вернулся с работы, у него отняли «потом»... Однако, помнится, каждый посетитель представлялся в начале записи, и Алексей принялся прослушивать их одну за одной.

Увы. Ни один из понедельничных посетителей психолога не назвался Антоном Владимировичем Смылко. Зато...

Зато с понедельника к Козыреву пошло руководство. Играли в демократию, видимо, — мол, не только рядовые сотрудники могут оказаться подвержены «вирусу самоубийств», все под богом ходим...

Да нет, ерунда! Какая, к черту, «демократия»?! Просто два как минимум *самоубийцы* занимали достаточно высокие посты в Концерне: об этом упоминалось в прессе. Да и как бы они оказались в курсе неприглядных дел, там творящихся? Сомнений нет, эти двое имели высокие должности, вот поэтому руководство решило отправить на показушные встречи с психологом **всех**, включая начальников подразделений. И один из них привлек внимание детектива, причем самое пристальное. Голос показался Кису знакомым... Потому что он его уже слышал...

На записях с флешки Ирины!

Он снова принялся просматривать этот файл, а особенно **прослушивать**.

Мужик звался Игнатием Вениаминовичем Кошарюком. Начальник подразделения Концерна по связям с общественностью, то есть начальник Ирины Липкиной! Красивый, самодовольный, породистый. Уверен в себе до такой степени, что у любого, кто столкнется с ним, непременно начнутся комплексы неполноценности в широком ассортименте. Харизматичен — дар, особенно часто сопутствующий мошенникам и политикам. Такие умеют всучить негодный товар (вещь или идею, без разницы) под видом вашей мечты; они и мышку убедят, что ей для счастья нужна кошка. На вопросы Козырева он отвечал любезно, с приятной легкой иронией: испытанный прием, цель которого расположить к себе собеседника, сделать его союзником: мол, мы-то с вами знаем, что вокруг одни дураки; а мы умные и отлично понимаем друг друга...

Жаль, что Михаил не успел сделать комментарии, Алексею было бы любопытно их почитать.

Он достал флешку-сердечко, включил запись разговора... Сомнений нет: это он, Кошарюк, разговаривал с Антоном!

И он же, судя по всему, был любовником Ирины. Неудивительно — от таких самцов, как этот, женщины млеют. А они их, сомлевших, коллекционируют, как паук дохлых мух в паутине.

Кис прослушал записи до конца, но Антона Смылко на них не обнаружил. Ничего странного, Михаил встречи не закончил, он должен был работать в течение месяца в Концерне, и до

Смылко очередь не дошла. Зато с этим, как его... Игнатием Вениаминовичем повезло несказанно.

— Похоже, дело продвигается? — спросила Катя, глядя на оживленное лицо детектива.

— Похоже, Катя, похоже! Чаем угостите?

— Да, конечно, извините, что не предложила... Вы так решительно направились к компьютеру, что я... Или кофе?

— Еще лучше. Только не растворимый.

— У брата есть аппарат, но я не умею им пользоваться...

— Пойдемте. Я вас научу. Кстати, эта квартира теперь ваша?

— Не знаю, — удивилась Катя.

— Я в том смысле, что надо вам научиться пользоваться кофейной машинкой, она теперь тоже ваша. Других родственников у вас нет, так что по закону наследуете вы. И квартиру, и деньги — все, что есть. Если только Михаил завещание не сделал на кого-то другого.

Катя покачала головой:

— Не надо, прошу вас. Я не хочу говорить о наследстве и завещании, не сейчас. Миша еще не похоронен...

— Простите. Вот и кофе готов, держите.

Вечерело. Стекла дома напротив слепили густо-розовым, тревожным. В квартире сгущались тени и тоска. Алексей ее чувствовал остро, словно она, вместе с сумерками, просачивалась через его тело. Но он не представлял, чем помочь Кате. Позвать к ним домой? Но там уже Люба. Девушки настроены враждебно друг к другу, ни к чему сводить их вместе...

— Мне пора, Катюша... Могу я что-нибудь для вас сделать?

— Нет, спасибо, — она натужно улыбнулась. — Не беспокойтесь, все в порядке.

Ничего у нее не было в порядке, ничего. Родные люди, пока есть они (пусть ты сколь угодно редко с ними видишься) — у тебя есть тыл. И знание о нем, как чувство опоры за спиной. Чувство, что если отступишь или оступишься, то опора поддержит... Когда же родные люди уходят, за спиной открывается бездна. И страшно, если в этот момент своей жизни ты один. Если нет руки, которая тянется, чтобы поддержать тебя, балансирующего на краю пропасти. Как эта девушка, совсем юная, почти ребенок...

Она ровесница Ромке, может, поэтому Алексей так пронзительно ощущал ее несчастье? Неважно, почему, — главное, ощущал, хотел помочь и не знал, как.

— Катя, мне нужно кое-что поискать в Интернете... Я могу это сделать дома, но, если вы...

— Не возражаю, — она снова попыталась улыбнуться.

Вот и ладненько, думал детектив, садясь на уже ставшее привычным место за столом Михаила, хоть немного еще побуду с ней, отвлеку от печальных мыслей...

— Садитесь рядом, поможете мне. Мы с вами сейчас попробуем найти информацию об Игнатии Вениаминовиче Кошарюке...

— Который на видеозаписи?

— Он самый... — Пальцы Алексея бегали по клавишам, а глаза по строчкам.

— А в чем вы его подозреваете?

Кажется, Алексей сделал правильный ход. До сих пор Катя не проявляла интереса к расследованию, — ей нужен результат, ответ на вопрос «кто», а не ход следствия. Но сейчас он ее втянул и развеет немного рассказом о том, как он действовал, что узнал и какие гипотезы строит. Не хуже детективного романа получится!

Алексей уходил от Кати немного успокоенный. Ему удалось чуть развеять девушку, — он рассказывал о похождениях «Киса в сапогах», как острили друзья, с юмором, с шутками, и Катя несколько раз улыбалась, уже совсем не натужно.

Интернет вынес ему жемчужины информации, вот ведь подарок прогресса! Каждая компания, даже едва оперившаяся, почитала своим долгом завести сайт и страницу в Фейсбуке. Что уж говорить о Концерне, претендовавшем на роль одного из столпов российской экономики!

Все узнал детектив, что хотел.

И то, что Антон Смылко работал в Концерне начальником подразделения по... Дальше шло что-то витиеватое, но смысл был ясен: он то, что раньше называли «снабженцем». Ответственный за материально-техническое снабжение Концерна для бесперебойной работы всех его подразделений. Кис, сказать по правде, думал, что он скорее заведует охраной: так уж повелось с 90-х, что все бандюки пригрелись под крылышками разных фирм именно в этой должности (а что они умели еще делать?). Но этот умел еще и считать: из выделенных на благо заведения ста рублей — девяносто себе в карман. На сайте имелись фотографии, прилагалась она и к фамилии Смылко. Сытое, толстое лицо; глазки утопли в сдобе щек и, казалось, слезились от хитрости.

И то узнал детектив, что Кошарюк Игнатий еще не так давно занимал пост заместителя генерального директора по медиаподразделениям Концерна, но был — не понижен, нет, — а стратегически переброшен на укрепление службы по связям с общественностью. Как раз полгода назад. Видимо, там сразу рассмотрел хорошенькую Липкину.

В общем, теперь у Алексея имелись имена-пароли-явки, — теперь есть с чем пойти завтра к Сереге Громову, есть что положить на тарелочку с голубой каемочкой, как он любил.

Никаких новых происшествий до конца дня не случилось. Вова Смылко отправился к себе на Сиреневый бульвар, ни с кем не встречался, и Кис дал ассистенту отбой, велев заступить на дежурство в «Склифе» с утра.

Дома тоже было тихо-спокойно, что радовало. Никаких подозрительных звонков ни в дверь, ни по телефону. Да и то, Саша бы ему сообщила, чуть что.

Люба, по словам Александры, вела себя как преданный друг дома, истово хватаясь за любое дело, будь то забота о малышах или мытье посуды. «Я так и вижу ее с Мишей, — шепнула ему жена, — уверена, она точно так же была ему предана и предупредительна во всем. Жалко ее; она похожа на бездомную собаку, готовую услужить тому, кто ласково потрепал ее по холке, — лишь бы взяли домой, лишь бы любили... Жалко ужасно, просто сил нет».

Алексей от ужина отказался. Спать хотелось невыносимо, сказывались и недосып, и усталость.

Оставалось подождать завтрашнего дня: должен прийти и отчет по ДНК от экспертов, думал он в постели, устраиваясь поудобнее, и информация по контактам Ирины Липкиной от мобильного оператора. И Димыч завтра отгул получит... Хотя как только Серега дело примет, то он и без отгула отправит его в «Склиф»...

С этой мыслью Алексей Кисанов и заснул.

Глава 6
ПОНЕДЕЛЬНИК

У Сереги с утра было назначено совещание в отделе, потом совещание у высокого начальства. В результате с Алексеем он мог встретиться только в полдень.

Вот и хорошо. Кис выспался, отчего пребывал в прекрасном расположении духа. Люба читала малышам книжку, и, глядя на ее просветленное лицо, детектив подумал: «Дети ей нужны, вот что. Она будет прекрасной матерью. Дело за малым: найти будущего отца для будущих детей...» Александра, воспользовавшись нежданной подмогой, работала над статьей. Идиллия.

И тут же укол в сердце длинной иглой страха: как ни бодрился он, как ни убеждал себя, что семья его в безопасности, что высокопоставленные бандиты давно уже боятся действовать открыто (раз под самоубийства преступления маскируют!) и не посмеют тронуть его родных, все-таки страх темной тенью клубился за его спиной.

Скорее надо действовать, быстрее!

Время до встречи с Серегой было, и Кис отправился в лабораторию. И вот радость: нашли спецы на пепельнице, помимо крови Кати, след посторонней ДНК! Алексей пепельницу забрал — придется ее положить туда, где была, иначе суд не примет ее как доказательство, вручил экспертам зубную щетку и два волоска, выкраденные в квартире Владимира Смылко. Обещали результат к утру следующего дня.

Вскоре и Толя Трофимов, внештатный осведомитель детектива у мобильного оператора, разразился длинным рядом номеров, по которым вела разговоры Ирина Липкина. «Нужно ли установить владельцев номеров?» — спрашивала последняя эсэмэска.

«Пока нет», — отбил Кис.

Как только Серега возьмет дело, то сам и установит, по своим каналам. Ему за информацию платить не придется, не то что детективу, который вынимает «гонорар» за каждую услугу из своего кармана. А карман уже пощады просит.

Вот в таком виде, до зубов вооруженный информацией, Кис приехал к Сереге на Петровку.

— Леха, прости, не могу я Димыча сегодня отпустить, — встретил его дружбан.

— Я тебе дело отдаю, Серег. Давай принимай и ставь у реанимации пост. Липкина в любой момент может из комы выйти, мне знакомый врач сказал, что вот-вот!

— Кис, если бы ее хотели убить, то зачем им ждать, пока она очнется? Уже давно бы с ней разобрались.

— Серег, я тебе вчера информацию сжато изложил, понимаю, картинка у тебя перед глазами не встала, деталей в ней не хватает. Но фокус вот в чем: они ищут флешку, на которой компромат, и до сих пор не нашли ее. Отчего думают, что Ирина Липкина им солгала, несмотря на побои. Они, конечно, планируют ее убить — эта женщина ведь сама по себе ходячий компромат! — но сначала попытаются выяснить, где же все-таки флешка, как только она придет в себя. Мне сообщат по врачебным каналам, когда она выйдет из комы, — но у нас, начиная с этого момента, будет ровно столько же времени, что и у бандитов.

— Думаешь, они станут ее пытать в больнице? — не поверил Серега. — Прямо в палате? Там же в любой момент могут зайти врач или медсестра, или санитарка!

— Не думаю. Похитят.

Дружбан кивнул.

— А ты не можешь договориться с ее врачом, чтобы там хоть на время сделали вид, что у нее амнезия?

— Тогда ее сразу убьют. Это проще и быстрее, чем похищение. Отслеживать возвращение памяти куда сложнее, чем выход из комы, они не станут так рисковать.

— Если ты прав и они затеют похищение, то одним опером нам не обойтись... Давай повествуй!

Серега вставил обе флешки в свой компьютер: Ирины Липкиной, в форме сердечка, и ту, что принес ему Кис, с копиями видеофайлов из компьютера Михаила Козырева, ссылками на сайты, архивом из скайпа Вовы Смылко. Алексей комментировал материалы по ходу, дополняя рассказами о своих изысканиях после вчерашнего разговора с Серегой.

— Отлично. — Закончив, Громов откинулся на спинку кресла. — Запускаю в работу.

Он вышел, чтобы отдать распоряжения. Громов не любил вызывать подчиненных к себе в кабинет, предпочитал сам зайти к операм. В этом не было ни ноты фальши, никакой игры в «демократию», просто Серега всегда презирал барственные замашки и не желал дать повод к тому, чтобы лично его в них заподозрили.

В этот момент зазвонил сотовый детектива.

— Алексей Андреевич, наша пациентка приходит в себя. Пока еще не совсем в порядке, но сознание к ней возвращается, — проговорил знакомый хирург. — Я все-таки решил, что третью бутылку виски заслужил!

— Можно сделать так, чтобы об этом никто не узнал?! — прокричал Кис в трубку. Но хирург, всхлипнув своим странным смехом, уже отключился.

Алексей не стал перезванивать. Слишком сложные игры, никто не возьмется в них играть. Врачи не актеры, им такой просьбы и не понять, и не исполнить.

Ох, хоть и был он предупрежден приятелем-хирургом, что Липкина может очнуться в любой момент, — но не ожидал, что так скоро... Что именно сейчас, когда они еще совершенно не готовы!

— Серег, она выходит из комы! — встретил он дружбана на пороге кабинета.

— Кис, не дергайся. Костик уже рванул в «Склиф», сейчас я еще парочку парней возьму. Ехать не очень далеко, с мигалками быстро доберемся. Неужто ты думаешь, что у этих гадов готова полная логистика на случай выхода Липкиной из комы?

— Именно так я и думаю, — мрачно ответил детектив. — Не забудь, с кем имеем дело. Концерн, они все могут. Даже нас с тобой выкрасть с Петровки незаметно!

Серега обогнул стол, ударил Киса по плечу.

— Это ты зря, друже. Меня — только если расчленить на кусочки предварительно.

— Типун тебе на язык, балда.

— Ты, Кис, слишком много свободного времени имеешь, в Интернете читаешь всякую хрень про могучих теневиков. Так скоро и в привидения поверишь, и в экстрасенсов! А в здоровом духе — здоровое тело, чтоб ты знал. Поехали, посмотрим на комедию!

Ох, не *комедия* им предстояла, Алексей чувствовал это всеми фибрами своей души.

Пока Серега отдавал новые распоряжения, детектив набрал Игоря.

— Кис, ты мне не велел следить за состоянием Липкиной... — заговорил ассистент.

— Подожди, у меня важная информация: врачи доложили, что Ирина вышла из комы!

— ...а велел следить за мотоциклистом, — упрямо продолжал Игорь, — так вот, он тут по мобильнику наяривает, очень возбужден! Если, как ты говоришь, Ирина вышла из комы, то он об этом наверняка и докладывает!

— Помешай ему!

— Поздно, шеф. Он уже отключился. Все сообщил своему дяде. Что мне делать?

Кис не знал. Не знал, что ответить Игорю, какие указания ему дать! У парня нет ни права на задержание, ни оружия, — как бы он ни был хорош в рукопашном бое, это не всегда выручает. Одно дело — прижать незаметно ствол к боку и вежливо попросить не валять дурака да пройти к машине; совсем другое — уложить Вову на глазах у изумленной публики, а тем более тащить его. Оная публика может вмешаться, охрана (если там она имеется — Кис понятия не имел, но должен быть хоть один охранник) тоже. А Вову Смылко брать надо, потому что еще чуть-чуть, и он смоется! И ищи его потом да свищи! Удерет в свой родной город или куда подальше, а его показания нужны полиции, необходимы!

— Игорь, следи за ним пока. Весьма вероятно, что за Липкиной приедут и попытаются ее из «Склифа» забрать под каким-то предлогом. Типа, в другую больницу ее перевезти... не знаю, в частную клинику... под предлогом, что там уход лучше... Я понял! Игорь, я понял: им не обойтись без ее мужа! Он должен дать разрешение на перевоз Ирины! Ты его видел сегодня? Где он?

— Не видел. Шеф, ты же мне сказал следить за Вовой...

— Так и сказал; я тебя не упрекаю. Но сейчас поднимись на этаж Липкиной, проверь обстановку и доложи.

— А если...

— А если тебя заметят, то плевать! Мы скоро будем на месте!

— Так мне за Вовой следить или за мужем Липкиной?

— Смотайся наверх, посмотри обстановку и возвращайся следить за Вовой! — раздражился детектив, хоть и знал, что Игорь тут ни при чем: это в его голове хаос и паника.

А Вова должен в больнице остаться до тех пор, пока дядя его не решит вопрос с Ириной, так что время еще есть... Еще немного, но есть.

Комедии, как и предчувствовал Алексей, не получилось.

Они видели впереди себя первую машину с Костиком: она отчаянно сигналила, сирена и мигалки требовали проезда, но автонарод уступал дорогу неохотно, перестраивался не сразу. То же самое происходило и с их машиной.

— Кис, запиши-ка их номера, я им вдую потом, сволочам! — злился Серега. — Тупицы, они тут собой любуются: мол, ментам не уступили, ах-ах, крутые какие! А самим коли понадобится помощь, а другие тупицы будут на дорогах выкобениваться?!

Алексей давно не ездил в полицейских машинах и сейчас с изумлением наблюдал эту необъяснимую фронду на московских дорогах. Вот уже действительно тупицы...

— Кис, — перезвонил Игорь через десяток минут, — у ее палаты муж и двое санитаров с носилками, говорят, что перевозят Ирину в частную клинику!

— Постарайся им помешать! Придумай что угодно, любую чушь, но задержи отъезд!

Серега выхватил мобильный Алексея.

— Игорь? Это Громов. Слушай меня: даю тебе карт-бланш. Бей в морду, кричи, что убивают, делай все, что только в голову взбредет, — я тебя потом отмажу, обещаю, только притормози их! Мы будем на месте минут через пять, — добавил он, вглядываясь в поток машин. — Надеюсь...

Им удалось, наконец, прорваться, и через семь минут они приехали, практически одновременно с Костиком.

Первым делом Громов приказал запереть ворота и не выпускать ни одну машину «Скорой помощи».

— Исключено! — строго ответил мужчина в белом халате. — К нам в любую минуту могут доставить тяжелого!

— Заприте! — повысил голос Громов. — У вас в больнице находятся убийцы! Здесь остается наш человек, в случае необходимости обращайтесь к нему. Гоша, — обернулся он к молодому оперу, — на воротах стоишь ты. Так, где грузовой лифт? На котором лежачих пациентов возят?

— Вон там... — растерянно проговорил доктор, указывая пальцем направление.

— Костик, к лифту, бегом. Кис, Димыч, мы наверх! — приказал Серега.

На четвертом этаже, где находилась реанимационная палата Ирины, царил возбужденный гам, окрашенный в тона легкой истеричности.

В коридор выбрались все ходячие больные, пижамы перемешались с белыми халатами персонала.

— Где Липкина? — воззвал Громов. — И где твой Игорь? — тихо спросил он у Киса.

Знать бы...

— Да увезли ее, вот только что, в другую больницу! — произнесла хорошенькая медсестра, придя в себя.

— Куда?!

— Вам лучше к нашему заведующему отделением пройти, — оробела она, — вон там его кабинет, видите?

Они отправились бегом и через несколько секунд ворвались в кабинет заведующего отделением, где обнаружили Игоря, изрядно побитого, равно как и мужа Ирины, Евгения Николаевича.

Громов быстро представился и рявкнул:

— Где ваша пациентка Ирина Петровна Липкина?

— Ее повезли в частную больницу, Евгений Николаевич подписал все необходимые бумаги... А это хулиган, который напал на него и на санитаров, — указал он на Игоря. — Вы быстро приехали, спасибо!

Вот уж не за что, прямо скажем. Они не те, кого ждали в больнице, — медперсонал наверняка полицию по «02» вызывал, чтобы обуздать *хулигана*, и сейчас ППС (патрульно-постовая служба) или из района приедут, но Серега пояснять не взялся. Хотя упрутся парни в закрытые ворота, надо Гошу предупредить, чтоб ворота не открывали, пусть пешком в калитку входят...

— Мы справились с ним, так сказать, коллективно, — довольно улыбнулся заведующий отделением. — Всем миром навалились, он сильный, зараза, хорошо, что наши пациенты помогли!

— Один меня рукой в гипсе огрел, — криво улыбнулся Игорь разбитым с правой стороны ртом. — Про ребра уж молчу...

Да уж, *комедия*, похоже, так-таки удалась...

— Давно увезли Липкину?

— Вы разминулись с ними буквально на три минуты. А что такое? Вы разве не за этим головорезом приехали?

— Димыч, остаешься здесь, с Евгения как-его-там глаз не спускай. Он еще должен нам рассказать, с чего это жену вздумал из «Склифа» перевозить и куда! Кис, мы вниз. Доктор, вы с нами. Скорее, скорее, показывайте дорогу, куда от лифта каталки везут, чтобы к машинам «Скорой» попасть!

Заведующий отделением вылез из-за стола. Он был низеньким плотненьким бодрячком, но в приличных летах.

— Кис, возьми его под руку, — скользнул на ходу взглядом по доктору Серега. — Как бы на лестнице не упал.

— Да вы что, в самом деле! — возмутился тот, выдергивая свою руку из хватки детектива. — Я быстрее вашего по ней слечу!

«Костик, что там у вас внизу?» — кричал на ходу Громов в телефон, глотая длинными ногами ступени. Лестница надежнее, чем пассажирский лифт...

На лифте никто не спускался за это время, доложил Костик.

Серега с Алексеем быстро осмотрели все коридоры, через которые могла проехать каталка и в которых ее могли бы спрятать. Но ни Ирины, ни санитаров не нашли.

— Упустили, твою в дышло! — ругнулся Серега.

— Не факт, — возразил Кис. — Доктор, вы сказали, что мы разминулись с санитарами на три минуты. Вы не ошиблись?

— Может, объясните все-таки, в чем тут дело? Почему вы ищете пациентку, а хулигана не задержали?

— Потом, уважаемый, потом. Тут у вас покруче дела происходят, чем хулиганство... Кстати, парень по нашей просьбе дебош учинил, так что... Так что по поводу трех минут?

— У меня чувство времени профессионально оттренированное, у нас тут счет частенько на секунды идет, не то что на минуты. Ну, погрешность могла быть на плюс одну максимум.

— *Разминулись* — это значит, что мы пришли на три-четыре минуты позже, чем они ушли, так?

— Ну да, — кивнул доктор.

— Серега, они не могли уехать! В лучшем случае, успели выгрузить Ирину из лифта прямо перед тем, как ты к нему приставил Костика! Они покатили к выходу, увидели нас и слиняли, дали задний ход. Они где-то в больнице прячутся, зуб даю!

— Подвал тут есть? — рявкнул Громов на бедного заведующего отделением, у которого и без того вид был совершенно потерянный.

— Есть...

— Оттуда выход на улицу?..

— Нет.

— Уже легче. Я вызываю спецназ, сами не справимся.

Громов отвернулся, говоря по мобильному.

— Что на этом этаже? Какие помещения? — спросил врача детектив.

— Есть палаты, есть операционная, складские помещения, буфет, приемная, техническая комната...

— Через второй выход каталка не пройдет?

— Он для посетителей, для здоровых, но, в принципе, возможно...

— Кис, — обернулся Серега, закончив говорить, — они же не побегут с каталкой на улицу! Им к машине надо, а машины под наблюдением. Одна из «Скорых», что у подъезда стоят, — их. Потом ее найдем, Гоша ворота стережет, не сбегут.

— Могут и на улицу, — могут, если припечет! Док, Липкина в состоянии ходить?

— Мы даже еще не знаем, не нарушены ли у нее моторные функции! Она едва пришла в сознание, нельзя ее сразу поднимать, да еще после недели с лишним лежачего положения! Это надо делать с большими предосторожностями, после дополнительных исследований мозга, иначе какой-то сгусток крови может оторваться и...

— Значит, Липкина на каталке. Она им пока нужна живой и в сознании, так что, надеюсь, понимают, что нельзя ее на ноги ставить... Там есть кто-то у второй двери, док, кто мог видеть, если каталку успели провезти?

— Сейчас узнаю, подождите.

В ожидании Кис набрал Игоря.

— Ты в состоянии удержать Евгения Николаевича? Уверен? Хорошо, дай мне Димыча... Дим, надень на мужа Липкиной наручники, и пусть его стережет Игорь. Он хоть и побитый, но с этой задачей справится. А сам дуй к нам, помощь нужна!

— Дельная мысль, — кивнул Громов.

В этот момент в приемную вошли двое полицейских, прибывших по вызову врачей, с недовольными лицами. Ну да, от ворот пешком пришлось топать, какая неприятность.

— Мужики, вы очень кстати! — Серега вытащил удостоверение. — У нас тут спецоперация проводится по задержанию опасных бандитов, поможете. Они прячутся где-то в больнице вместе с похищенной пациенткой на каталке: блондинка, симпатичная, тридцать два года, Ириной Липкиной звать. Она свидетельница по важному делу. Ее могут убить, если поймут, что драпануть отсюда не удастся. Предположительно, они прячутся здесь, на первом этаже, или в подвале. Оттуда выхода на улицу нет, так что начнем с этого этажа. Осматриваем помещение за помещением. Ты, как тебя?..

— Лейтенант Леонид Сидоров.

— Лейтенант, встань у грузового лифта, вон он, видишь? Никого не пускать ни вверх, ни вниз. Костик, ты берешь второго парня... Как звать?

— Федором. Лейтенант...

— Отставить. Костик, ты с Федором, я с Кисом.

В коридоре возник заведующий отделением, прокричал им, едва приблизившись:

— Не вывозили!

— Спасибо, док.

В этот момент появился Димыч.

— Стоп. Изменение в программе: ты, Федор, идешь стеречь второй выход, который для посетителей, док тебе покажет. Димыч, ты с Костиком. Наша сторона левая, ваша правая. Напоминаю: бандитов двое и они наверняка вооружены. Одеты санитарами, с ними женщина на каталке, блондинка. По каталке и поймете, кто нам нужен.

— Извините за вмешательство, — произнес заведующий отделением, — но в помещениях могут оказаться и другие пациенты на каталках...

— Спасибо за подсказку. Постарайтесь пока убрать людей из коридора.

Людей вокруг них — на почтительном расстоянии, правда — набилось видимо-невидимо, всем было любопытно. У них на глазах разворачивалось зрелище почище киношного, и народ ни за что не собирался оставлять свои места в «партере».

— Граждане, что столпились? — сделал попытку Громов. — Разойдись, разойдитесь! Не дай бог, под пулю попадете!

Куда там. *Граждане*, пациенты и персонал, лишь отступили подальше, но уходить явно не собирались.

— Займитесь ими, доктор. Насчет пули я не шутил. Пошли, парни, пошли!

Мужчины притерлись к стенам и направились к первым дверям.

Неожиданно в коридоре раздался зычный, хорошо поставленный голос:

— В чем дело? Что тут происходит? Почему меня не известили?!

Ну вот, высокое начальство пожаловало, только его не хватало...

Громов обернулся к заведующему отделением:

— Поработайте пресс-аташе, ладно? Объясните шефу, что происходит...

— Да я сам ничего не понимаю!!! — в сердцах воскликнул тот.

— ...особенно насчет **пуль**, — закончил фразу Серега и махнул рукой. — Двинули, парни! Не дай бог, пациентов в заложники взяли, вот будет тут каша! Если что, в бой не вступать, ждем спецназ!

Они быстро проверили первые помещения: чисто. И тут Алексей вдруг вспомнил про мотоциклиста, Вову, который совершенно выпал из зоны его внимания. А взять-то парня надо!

Алексей приблизил лицо к Серегиному уху, прошептал насчет Вовы.

— Кис, сам видишь, какая каша заварилась, — тихо проговорил Громов. — Не до Вовы сейчас. Не бэ, найдем его, из-под земли достанем!

«Не бэ» означало «не боись». Старая эта шутка часто ходила в их дружеском кругу.

Ох, не нравилось Алексею упущение с Владимиром Смылко! Он нужен, очень нужен, — его чуть тряхнуть, и он расколется, дядюшку Антона Смылко заложит! А вот если смоется отсюда, из «Склифа», то удерет и из Москвы, как пить дать! Но сейчас он еще тут, без сомнения: он осведомитель, докладывает обстановку, дядя держит его на связи. Тем более что события развернулись совсем не так, как они рассчитывали, и Антон Смылко нервничает...

Но оставить Серегу детектив не мог: спасти Ирину и взять бандитов — приоритет.

Как по-дурацки вышло с Игорем... То есть не совсем: он сделал нужное дело, задержал перевозку Ирины. Но сам оказался вне игры — избитый, покалеченный... Вот черт! Кто же знал, что на парнишку всем миром навалятся... Вот черт...

— Кис, заходим!

Они открыли вторую дверь. Серега держал свой пистолет Макарова, Кис свой, травматический.

— Чисто! — крикнули они партнерам.

И те ответили, проверив второе помещение со своей стороны:

— У нас тоже!

Они в подвале, сто пудов, думал Кис, синхронно действуя с Серегой. На первом этаже только время теряем... Если заведующий отделением ошибся еще на тридцать секунд, то у «санитаров» было время вернуться в лифт. А может, наоборот: они из него даже не вышли: достаточно было им услышать шум-гам на первом этаже. А уж бандит всегда распознает горячо любимую полицию, поскольку шум от нее особый, командный! И, не покидая лифта, они нажали кнопку подвала. Это куда разумнее, чем пытаться спрятаться на первом этаже, причем едва ли не на глазах у полиции! Катить каталку по незнакомому коридору в незнакомые помещения — что там, кто там окажется? Во всех случаях — осложнения. А вот в подвал, где нет людей, где техника, обеспечивающая вентиляцию, подачу воды, электричества... что там еще? — вот туда они как раз могли рвануть!

Во всяком случае, он, детектив, на их месте среагировал бы так.

Никого они не нашли на первом этаже. С учетом постов у лифта, у дверей, выйти из здания бандиты не могли. Стало быть...

— В подвале они, Серег.

— Не факт, Кис. Я понимаю, как ты рассудил: проще спрятаться в технических помещениях, чем в тех, где есть пациенты. Но, если они не дураки, могли предвидеть, как рассудим мы. И усвистеть на самый верхний этаж, к примеру...

— Тоже верно. Давай решим, куда сейчас: наверх или вниз.

— Никуда. Ждем спецназ. Мы своими силами не обеспечим полного контроля над ситуацией. Не дергайся, ждем.

Ждали они недолго: спецназ подтянулся буквально через минуту после их диалога. Громов изложил задачу, обрисовал диспозицию, и мужчины в бронежилетах рассыпались по больнице. Серега отправился с группой наверх, на последний этаж. Димыча и Костика он оставил внизу, подмигнув: спецназовцы страсть как не любили работать «с непрофессионалами» — в данном случае с оперативниками. Выучка у них не та, только мешать будут... Но от Громова им не избавиться: он тут командир. Хотя с удовольствием избавились бы, если бы могли.

— Пойду проведаю, где там Вова, — произнес Кис, который, само собой, остался за бортом операции спецназа. — Надо его замести, если он еще не сбежал.

— Я с тобой, — вызвался Дима.

Алексей показал ему снимки, сделанные Игорем, — детектив перекачал их в свой смартфон. Однако Вову Смылко они нигде не приметили. Нашли только мотоцикл «Дукати» за забором — и никаких следов его хозяина.

Димыч принялся расспрашивать Гошу, стража ворот, но тот следил за машинами, не за людьми, входящими в калитку: таких распоряжений ведь не было, а?

Все верно, не было. И куда же подевался Вова? Трусцой сбежал или, наоборот, в «Склиф» вошел? Дядя потребовал информации, и племянник отправился ее добывать?

— Кис, давай-ка мы эту тачанку во двор закатим. Если Вова тут, то не сможет уехать! Гошу предупредим насчет мотоцикла.

Закатили. Предупредили Гошу. Вернулись в приемное отделение.

— Я все же думаю, что он здесь толчется, не отпустил его дядюшка, наблюдать велел да докладывать... Давай смотреть. Костик, поможешь? — Кис в очередной раз подавил на кнопки сотового, открыл фотографии Владимира Смылко. — Вот он, голубчик, запоминай!

— Ладно, говори, кто куда.

— Да туда, где побольше народу, — ему легче затеряться.

Кис показал на скопление любопытных в коридоре у приемного покоя, которых не сумел разогнать ни заведующий отделением, ни даже главврач.

— Пойдем, сделаем вид, что уговариваем их разойтись по палатам. И, кстати, еще примета: он скорее всего шлем с собой таскает, у своего мото не оставил, украдут. Так что, дружище Костик, задача упрощается: ищем того, кто шлем в руке держит!

— Ага, он совсем дебил, что ли? — буркнул Костик. — Ну сам подумай, Кис, ну если бы ты был на его месте в такой ситуации, где полиции полно, ну стал бы ты со шлемом в руке таскаться?

— Может, и дебил... Но ты прав. Дядька-то его хитер, указания племяшу наверняка дал. Тогда, Костик, наведайся в мужской туалет: вдруг он там где-нибудь в закутке шлем пристроил? А мы с Димычем народное собрание пойдем изучать.

Они все еще рассматривали *народное собрание*, когда вернулся Костик.

— Нашел шлем. Он его под подоконник сунул возле батареи. Красный, да? Чего, взять его или пусть в туалете лежит?

— Оставь там. Парень может увидеть тебя с драгоценным своим шлемом, сразу поймет, что мы ему уже хвост прищемили. Просто покрутись у туалета: вдруг Вова получит команду линять и за шлемом явится? Тогда бери гаденыша.

Костик молча кивнул и отправился обратно, к мужскому туалету.

— А мы чего? — спросил Димыч, проводив коллегу глазами.

— Продолжай искать на этом этаже, а я поднимусь.

— Кис, блондинами Россию не удивишь. Нужно побольше деталей.

— Так ты же его фотографию видел, — удивился Алексей.

— Он снят с расстояния, не больно-то подробно... И чего, я каждую морду буду с фоткой сверять? Мальчишка насторожится. Лучше б ты у своего Игоря расспросил про куртку там, брюки... Он же сегодня видел Вовочку? Ну вот, пусть и скажет, как одет. А в лицо уже потом смотреть будем.

— Ладно...

Алексей не совсем понимал, зачем Димычу еще и описание одежды, — сам он схватывал лица мгновенно, лишь скользнув по ним взглядом. Хотя, конечно, внимание у всех разное по своей природе: один человек сразу выделяет нужные детали, другому надо вглядываться. И тут Димыч прав: если он начнет *вглядываться*, то мальчишка занервничает.

Он набрал номер Игоря, спросил об одежде Вовы Смылко.

— Вы его взять решили, что ли? — поинтересовался ассистент.

— Нет, хотим конфетку ему подарить! — съязвил Кис.

— Шеф, ну извини. Я думал, вам не до него... Он тут, со мной.

— Где-е-е?

— Ну, в кабинете заведующего отделением, вместе с Евгением Николаевичем.

— Не понял...

— Ну, я Евгения Николаевича наручником к стулу прицепил — куда ему со стулом, не сбежит же, — а сам за Вовой сходил... И сюда его привел, тут безопасней, согласен?

— Игорь, ты... Блин, почему не доложил?!

— Так я же думал, что вы там в поте лица... Ну, ты мне тоже не сказал, на каком вы этапе, вот я и решил помочь, пока вы заняты...

Зараза, вот зараза, чума!

— У тебя же ребра сломаны!

— Ребра — не руки, — хмыкнул Игорь.

— Убью, — пообещал детектив.

Все было кончено через полчаса. Бандиты-санитары прятались так-таки в подвале, там их и взяли. Сопротивления они не оказали: со спецназом шутить не рекомендуется, у него не слишком хорошо развито чувство юмора. Ирина, к счастью, была жива, хоть бледна и измождена. Она плохо понимала, что происходит, и будто пребывала в дреме, время от времени открывая красивые серо-зеленые глаза, обводя окружающих удивленным взглядом, и снова прикрывала их. Похоже, ей казалось, что она видит странный сон.

Ее вернули в палату, где тут же захлопотали врач с медсестрой; Костик временно остался на посту у ее двери, пока его не сменит охранник; Димыч отправился снимать показания у персонала; Игорь тоже застрял в «Склифе»: по настоятельной просьбе Алексея его осмотрят, проверят целостность костей. «А то я сам тебя наручниками к рентгеновскому аппарату пристегну!» — пригрозил детектив.

Сам он с Серегой поехал обратно на Петровку, вслед за машиной, увозившей санитаров «неотложки», Вову Смылко и Евгения Николаевича.

Вечер, проведенный с детективом, несколько развеял Катину тоску. Бывают люди, которые радуют уже тем, что существуют; Алексей Андреевич принадлежал к их невеликому числу.

Он рассказывал ей, как продвигается расследование. Катя слушала внимательно, хотя детективы никогда не любила, а необходимость вникать в их логику и следить за цепочками навевала на нее тоскливое воспоминание об алгебраических уравнениях. Но она слушала детектива с удовольствием: просто ей нравился он, его теплый голос, исходившее от него ощущение надежности... Как когда-то в детстве с папой.

Закрыв за Алексеем Андреевичем дверь, Катя сказала себе: это еще не конец жизни. Горе, да, и большое, но не конец ведь!

Она приготовила себе ванну и уже ступила в пену одной ногой, когда зазвонил телефон.

Олег.

— Я что хотел спросить... Тебе сегодня не страшно одной?

— Нет, — легко ответила она.

Не хватало только, чтобы его мучила совесть из-за того, что он не стережет ее каждую ночь! Не надо, спасибо, не надо!

— А, ну тогда... Тогда ладно. Спокойной ночи.

Вот так. Видишь, как все просто, Катя? Тебе никто не нужен. Ты сама прекрасно справишься и с горем, и со всеми остальными проблемами в жизни. Ты сильная, Катя! Миша тебе всегда говорил, помнишь, что ты «маленькая сильная девочка»? И еще он говорил, что тебе дан великий дар: любовь к жизни. К жизни, ко всем ее проявлениям, к сущему. И что именно благодаря этому дару ты сильна. И все тебе будет удаваться, и будешь ты счастлива...

Катя не замечала, как слезы сбегали по щекам, бесследно растворяясь в пене.

Утром следующего дня ей позвонили из полиции и сказали, что следствие окончено и что можно Мишу хоронить. Едва она успела положить трубку, как телефон зазвонил снова: похоронный агент, предлагавший свои услуги. Катя растерялась от неожиданности, слезы сжали горло болезненным спазмом, но потом вспомнила, что она «маленькая сильная девочка» и что кроме нее некому заниматься похоронами Миши... Агенту она предложила перезвонить к вечеру и села за компьютер. Завела ключевые слова в строку поиска и принялась открывать сайты один за другим, читая о похоронах, гробах, кладбищах... Разные агенты звонили еще шесть раз, но она откомандировала всех на вечер. Денег у Кати в обрез, нужно сначала узнать, что сколько стоит, чтобы ее не провели. Она сильная, она сильная, она справится!!!

В четыре позвонил Алексей Андреевич и сказал, что скоро расскажет ей продолжение детектива. Катя улыбнулась ему и заверила, что ждет с нетерпением.

А в пять позвонил Олег.

После всех неизбежных «как ты», «как настроение» он принялся мямлить что-то неразборчивое, и Катя вдруг подумала, что он собирается пригласить ее на свидание. Его вчерашнее «Нам пора» в парке, показавшееся ей столь холодным, было сказано в силу необходимости (Аленку надо было везти домой), а не желания! Он просто постеснялся добавить другие слова... А она не догадалась... Но сейчас он предложит встретиться, Катя была уверена!

— Ты сегодня свободна? — спросил он.

Точно, точно, сейчас позовет на свидание!

— Если да, то не могла бы ты... Понимаешь, у меня сверхурочная работа, срочная, а мама моя плохо себя чувствует. Обычно с Аленкой она остается, но сегодня... Ты не могла бы забрать ее из садика, Кать? Ты ей понравилась, она несколько раз за вечер тебя вспоминала...

Вот вам и *свидание*. Ага, оно самое.

Вообще-то наглость! Они едва знакомы, а Олег уже пытается использовать ее как беби-ситтера для дочки!

Катя собралась дать ему гневную отповедь, как вдруг звонко шлепнула себя ладонью по лбу и расхохоталась.

— Ты смеешься? — недоверчиво спросил Олег, словно не верил своему уху, к которому прижимал телефон.

— Смеюсь.

— А что такого я... А почему?

Катя хотела ему сказать: да потому, что ты ищешь повод со мной встретиться и все это при-ду-мал!

Но она не стала. Зачем? Она согласится на игру. Так интереснее.

— Ничего, все в порядке, Олег. Мне отвести потом Аленку к тебе домой? Или забрать к себе?

— Если можно, к себе. Я... в смысле ключа... от моей квартиры нужен же ключ.

— Нет проблем. А ты когда за Аленкой придешь?

— Часов в десять... Я постараюсь пораньше, вдруг получится.

В десять Аленка будет уже крепко спать. Не тащить же девочку домой! Катя предложит ночевать у нее — предложит, конечно. Он на это и рассчитывает. И они проведут еще одну ночь в разговорах... На другое Олег как раз вряд ли *рассчитывает*, Катя была уверена: он понимает, что для физического сближения момент совсем не подходящий.

— Я куплю что-нибудь по дороге на ужин. Если подождешь меня, поужинаем вместе?

— Подожду... Погоди, а как насчет памперсов и запасной одежды? В тот раз ты с сумкой пришел, а у меня-то всего этого нет!

— Есть.

— В каком смысле?

— Вообще-то... — Голос у него был страшно смущенный, и Кате опять стало весело. — Вообще-то я сумку у тебя вчера забыл... в спальне, на полу. Почему ты все время смеешься?

— Не обращай внимания. Раз сумку забыл у меня, то есть повод вернуться, правда? Говори, куда за Аленкой ехать!

Ей сегодня предстоял чудесный вечер. А утром Олег разбудит ее и скажет, что они с Аленкой приготовили завтрак...

* * *

«Ты умеешь любить».

Нет, Катя, ты ошиблась. Я умел. Раньше. Но разучился.

...После смерти жены Олег не жил монахом. Год на наркотиках проскользнул смутным призраком. Кажется, были какие-то случайные женщины, чьи имена и лица стирались из его памяти поутру.

Однажды, одним таким бессмысленным и беспамятным утром, он посмотрел на себя в зеркало, в глаза своему отражению, и сказал: «Если ты намерен сдохнуть, то есть пути короче».

Еще день ушел у Олега на то, чтобы взвесить различные пути ухода. Их много, но страдать не хотелось, — он лишь трезво решал, какой безболезненнее.

Как ни странно, мысль о самоубийстве отвлекла его от наркотика. Зачем новая доза, если решил умереть?

А следующим утром он вспомнил: родители. О дочке — нет, не подумал, за нее мысль не зацепилась, да и отчего бы? Ведь он ее не знал. Чистая абстракция: есть ребенок. Виновный в гибели его жены... И еще всплыло имя: Козырев. Сказывали, что он умеет творить чудеса, — вдруг и с ним, с Олегом, сработает?

Он нашел Михаила Козырева и солгал ему, что уже в завязке. Михаил тогда на него посмотрел так, что Олегу показалось: он знает правду. И сейчас прогонит.

Но не прогнал. Только потом, месяцы спустя, Козырев признался Олегу, что догадался. Но решил: раз парень настаивает, значит, готов завязать. И пусть это станет правдой!

Первый же разговор с Михаилом, долгий и трудный разговор — Олег не привык выворачивать душу наизнанку, а тут пришлось, — поставил многие вещи на свои места. Неожиданно стало яснее ясного: не нужна ему смерть, не нужна ему наркота, он просто устал от боли, он не знает ни как с ней жить, ни как от нее избавиться. Но: «Боль — не конец существования, а его этап», — сказал Миша...

Вернувшись домой после их долгой беседы, Олег выбросил и шприцы, и остававшиеся ампулы. Из трех опций: наркотики, суицид или Козырев — он выбрал последнего. И ни разу об этом не пожалел.

Вскоре он забрал у родителей дочку. Они назвали малышку Аленкой, как звали ее мать, и поначалу это имя его больно кололо, но мало-помалу он смирился и даже стал находить радость в том, что мог произносить его не в тяжелых снах, бесплодно зовя умершую жену, а наяву, зовя свое маленькое чудо, живое и радостное.

Жизнь с дочкой, однако, вскоре обнаружила новую болевую точку: место матери, которую девочка никогда не знала и потому не скучала именно по ней, — но само это место оставалось пустым, и пустота ощущалась болезненно. Олег с головой бросился в изучение всевозможных премудростей по уходу и воспитанию ребенка, заглядывал даже на «мамские» форумы, где обсуждались памперсы и детское питание. Он старался закрыть брешь собой, заполнить зияющую пустоту, стать и папой, и мамой. В какой-то степени ему это удалось... Брешь осталась, но ее будто прикрыли заслонкой, разрисованной картонкой.

Возникла и другая проблема: его отношения с женщинами намного осложнились. Их влекло к Олегу — симпатичный, хорошего роста, да и вообще парень славный. Но, помимо его собственной неготовности любить снова, любые отношения упирались в весьма тревожную перспективу вынести ему из своих недр не только новую жену (которую он не искал и не хотел), но и мачеху Аленке. А вот это уж совсем ни к чему. Он был согласен иметь подругу, но только «приходящую», не больше...

Загвоздка же состояла в том, что женщины, заводя отношения с мужчиной, как правило, метят на брак. То есть на то, чего Олег дать им не может... и не собирается.

Обманывать он не хотел. Опыт собственной боли заставил его быть бережным к другим. И потому он взял себе за правило говорить сразу, в самом начале, когда еще только-только возникают симпатия и желание, что жениться не намерен.

Как ни странно, против всех ожиданий Олега, это отвернуло совсем незначительную часть потенциальных подруг. Лишь спустя некоторое время он понял, в чем тут фишка: женщины, оказывается, ему не верили! Они думали, что это так, пустой треп, поза, — и что уж **ей**-то (конкретной Маше, конкретной Даше...) удастся его приручить!

Откуда такая самонадеянность, Олег не знал. Он ведь честно обрисовывал ситуацию, почему ему не верили? Почему подозревали в пустом трепе? Почему видели себя спасительницами его потерянной души?

Непонятно, нет. Но приручить его никому не удавалось, — от особо настойчивых Олег был вынужден бежать. Но постоянно возникали новые претендентки на его сердце, старательно делавшие вид, что претендуют лишь на его постель.

...Собственно, вот отчего Люба назвала его влюбчивым. Она видела не раз, как очередная подруга ждала его после занятий с группой в спортклубе...

И вдруг Катя. Нет, он не влюбился, он больше не умел любить. Но она была сестрой Миши. И он пытался опекать ее. Она не интересовала его сама по себе, она была *сестрой*.

А потом почувствовал, что у нее тоже есть опыт боли. Это их уравнивало в каком-то смысле... Словно они находились на одной высоте. Там, где других нет. Где никого, кроме них, нет...

Расставшись с ней в парке, он хотел положить конец этому странному чувству равенства. Оно его тревожило, даже пугало... Он не собирается заводить серьезные отношения! Он не намерен жениться и уж тем более подыскивать «новую маму» для Аленки! И Катю совсем не рассматривал как возможную... Собственно, никак не рассматривал. Никак!

Но ночью ему приснился сон. Снилось, что Катя лежит в снегу, вернее, под снегом, глубоко в сугробе, холодном, смертельном. И он понимает, что должен ее оттуда вытащить — его долг перед Мишей, она ведь *сестра*!

Олег попытался разрыть снег руками, но нет, не получалось, снежный наст не поддавался, он был покрыт ледяной жесткой коркой. Олег во сне чувствовал, как ломаются и кровоточат его ногти... И вдруг он нашел единственно правильное решение: он сбросил одежду, лег на снег, желая его протопить своим горячим телом. И он чувствовал, как снег плавится, как его тело все ближе к Катиному, еще немножко, остались последние сантиметры! Его тело не остывает, напротив, оно разгорается, становится все жарче...

И вот, наконец, он коснулся Кати. Она... кажется, она в дубленке... в расстегнутой... а под дубленкой будто бы ничего нет... И он плавно опускается на тающем пласте прямо на нее. Глаза у Кати закрыты, но тело ее тоже горячее, горячее... Она ждет его! Она ждет его прикосновения! Она тоже знает: так надо. Так правильно. Это — спасение...

Он уже чувствует, как касаются его груди ее соски, затвердевшие и заалевшие от холода... Или не от холода?..

Он обхватывает Катю руками, стараясь вырвать ее из остатков снежного плена, прижимает к себе — еще теснее, еще, еще! Она подается ему навстречу... Ее ладони ложатся ему на шею, ее губы раскрываются...

Он проснулся с биением в висках и в сердце. Да и все его тело пульсировало, каждым тактом отбивая: Ка-тя, Ка-тя, Ка-те-ри-на...

«Кажется, мы протопили арктические льды, — усмехнулся Олег. — Завтра в газетах напишут, что это результат потепления климата...»

Сон преследовал его весь день, а ближе к вечеру он придумал: попросил Катю забрать Аленку из садика. Не знал, что будет дальше, что он скажет, что она ответит — не знал. Просто надо было снова увидеть ее. Увидеть, услышать, вдохнуть.

Он сумел закончить работу пораньше, он мчался к Кате в Матвеевское, как сумасшедший, он заскочил в магазин, накупил без разбору деликатесов — для Кати, для дочки — и, наконец, позвонил в дверь.

Катя пустила его в квартиру, прижав палец к губам: «Только тихо, ладно?»

Он подумал, что дочка спит, однако обнаружил, что Аленка сидит в кресле в большой комнате, щеки ее измазаны лиловым (отчего ее синие глаза казались фиолетовыми), в руке крошечный шампур: на деревянную зубочистку нанизаны три ягоды крупной садовой черники. А напротив кресла — мольберт. За ним Катя, наносит новые мазки кистью на портрет Аленки, хотя, по мнению Олега, он и без того был потрясающим...

— Папочка!

Аленка потянулась к нему.

— Сиди смирно! — строго сказала Катя, и девочка, как заправская модель, тут же приняла прежнее положение, смешно пожав крошечными плечиками, будто извиняясь перед отцом.

— Кать, я тут купил...

— Дай нам еще пятнадцать минут, пожалуйста, — проговорила Катя.

— Пап, пап, а она знает сказку про туфельку с носочком! Это ты ей рассказал?

Олег посмотрел на Катю. Ждал: сейчас заплачет... Сказка, сочиненная ее братом, — Миша ему говорил, что для сестренки придумал, когда она была маленькая...

Но Катя не заплакала. Лишь чуть покосилась на Олега.

— Не говори только ничего, пожалуйста, — произнесла она. — Аленка, сядь, как мы договорились!

Олег отнес свои покупки на кухню, вернулся в комнату, постоял у Кати за спиной. Пятнадцать минут, она попросила еще всего пятнадцать минут, и дочка отправится спать... И тогда они с Катей останутся наедине... И он сможет ей сказать...

Он еще не знал, что сможет сказать. Но знал, что это будет важно.

Но *пятнадцать минут* — это так долго! Это слишком долго, это невыносимо долго!

Он не мог больше ждать. Он приблизился к Кате и поцеловал ее в макушку, прямо посреди каштановых волос, пахнущих лимоном и мятой, и она...

Она вдруг бросила кисть, подняла руки, поймала его голову, склоненную над ней, и притянула к себе...

— Катя, — Аленка подлезла к ним незаметно, забралась на колени к своему портретисту, — Катя, почему ты плачешь? Папа, почему она плачет? Ведь все хорошо?

И маленькие пальчики потянулись к щекам Кати, чтобы вытереть слезы.

— Все хорошо, дочка, — ответил Олег, с трудом оторвавшись от Катиных рук. — Пойдем, милая, тебе пора спать, мы тебя уложим...

— С Катей?

— Да, Аленка, конечно...

Глава 7
ТРИ ДНЯ СПУСТЯ

— ...В совете директоров сочли, что у Концерна имидж недостаточно позитивный, имелись серьезные претензии, и Игнатий Кошарюк решил самолично укрепить отдел по связям с общественностью, для чего временно возглавил его, желая быть поближе к процессу. Там он и познакомился с Ириной Липкиной. У них завязался роман...

Алексей собрал, наконец, всех козыревских ребят в уже знакомом спортзале. Они его постоянно дергали эти дни, — свой номер телефона он всем раздал (мало ли, какая важная информация всплывет по ходу), и они звонили, спрашивали, как продвигается расследование. Но детектив не хотел выдавать раньше времени результаты. Точнее, их еще попросту не имелось. Санитары, которых они взяли, — пешки. Нужно было добраться до заказчиков и исполнителей, нужно было пробить непробиваемый Концерн, — и нужно было для этого время.

И вот три дня спустя он счел, что первые и важные шаги в этом направлении сделаны. И назначил ребятам встречу.

Обе группы Козырева сидели на матах в спортзале и ловили каждое слово детектива. Александра и Игорь не пришли: они и так знали все детали истории, поэтапно; а Ромка хоть и не все знал, но тоже не пошел с Алексеем на встречу: он всерьез боялся Любу, вернее, опасался, что она может перенести на него свои чувства к Мише. Посему решил избежать новой встречи с ней. Как он выразился однажды, у него «в холодильнике не так много колбаски для голодных кошек».

— Ирина спустя три с небольшим месяца заподозрила своего любовника в том, что он уделяет внимание не ей одной, — продолжал детектив. — Как сказала сама Липкина в беседе с нами, «его секретарша стала смотреть на меня с издевкой».

— И правильно! — произнес женский голос.

Алексей не видел, кто подал реплику, но вглядываться не стал.

— Кошарюк мужчина видный и жених завидный. Думаю, в последнем все и дело, в зависти. И сопутствующем ей злорадстве. Вряд ли Михаил назвал бы это «правильным», а?

Вопрос был риторическим, и Кис поспешил продолжить, опасаясь ненужной дискуссии.

Для Ирины это был не просто романчик, она связывала серьезные надежды с Кошарюком. Мысль о том, что для него это лишь очередная интрижка, была для нее непереносима. И однажды она оставила у него в кабинете свой телефон с включенным диктофоном. Этот трюк она проделывала в течение многих дней, в надежде узнать, с кем же все-таки он ей изменяет. Она подозревала секретаршу, но не была в этом уверена.

Поскольку Ирина несколько раз за день заходила к любовнику в кабинет — по делу и просто так, «потискаться» — это выражение Кошарюка, — ей было не сложно припрятывать в кабинете свой телефон с утра и забирать его в конце рабочего дня. Дома, запершись от мужа, она прослушивала записи. Кошарюк говорил в основном по делам, часто по телефону, с начальством и с подчиненными, но это Липкину не интересовало: она жаждала услышать женский голос и подозрительные звуки. И с течением времени она поняла, что он регулярно общается по телефону с некоей женщиной, за которой ухаживает. Или которую обхаживает, на выбор. Причем «с придыханием» и, похоже, с «серьезными намерениями». Судя по разговорам, а особенно по интонации, Ирина догадалась, что ее соперница занимает высокий пост в какой-то крупной конторе, и Кошарюк связывал с ней определенные надежды. Выгодная партия, так это называется. Чем уж — финансами, связями, это Липкину не занимало. Главное, она сделала утешительный для себя вывод: Игнатушка ту женщину не любит, там только расчет, — а вот ее, Ирину, он как раз любит! И потому у нее еще есть шанс отвоевать его у соперницы, взяв страстью.

Для чего следовало сходиться почаще в постели. Поскольку сама Ирина замужем, она не могла проводить ночи с любовником, а встречи днем, наспех, не давали того, к чему она стремилась. И, снедаемая ревностью и желанием реванша, Ирина пошла ва-банк: выложила мужу всю правду про свою любовную связь. И этой правдой пробила в браке брешь, давшую ей относительную свободу. Она верила, что если сможет проводить с Игнатием ночи, пусть и не каждую, он бросит ту, другую...

Он стал охотно проводить ночи с Ириной, но ворковать по телефону с ее соперницей не прекратил. И Ирина продолжала подслушивать его разговоры. И вот однажды она услышала странный диалог, происходивший в его кабинете. В нем в завуалированной форме Кошарюк поручил кому-то убить... кого-то. Имя не называлось. Но из разговора было ясно, что следует убийство обставить как самоубийство. И в самом деле, через несколько дней покончил с собой главный бухгалтер.

Прошло еще несколько дней, и Ирина услышала новый разговор: суть его была примерно такой же. И следующее самоубийство не заставило себя ждать. Липкина пришла в ужас. Негодование ее мешалось с ревностью, — тем более что свою телефонную пассию Кошарюк так и не оставил, продолжал с ней ворковать и договариваться об ужинах в элитных клубах, — и вылилось в приговор: он подлец. А подлеца надо вывести на чистую воду!

Ирина обзавелась флешкой, которую никто бы не заподозрил в ее истинном назначении: в виде женского украшения, серебряного сердечка со стразами. Доступ в кабинет Игнатия у нее был свободный: несмотря на ухмылки секретарши, она нередко заходила туда в отсутствие любовника, чтобы дождаться его возвращения и встретить страстным поцелуем. Этим правом Ирина и воспользовалась, чтобы залезть в компьютер Игнатия.

Сложить два и два не представляло труда: из первого разговора, который записался на ее мобильный, следовало, что человек «умнее всех» как-то обманул партнеров по темным делишкам, взял себе большую долю, чем договаривались, — и человеком этим оказался главный бухгалтер. Значит, они что-то левое с его помощью провернули. Такое «левое», которое приносит много денег. То есть распил госимущества.

Она просмотрела в своем отделе список приобретений Концерна за последние три года. К каждому прилагалось небольшое обоснование (то есть исключительно благородные цели, с которыми производилась покупка): на случай, если журналисты пронюхают и пристанут, надо знать, что им отвечать. Например, старый стадион приобретен с целью восстановить его и создать на его базе детские спортивные клубы, и так далее. В списке значились, помимо стадиона, и какой-то запущенный аэродром, и база отдыха, и давно не работающий завод в области, и еще уйма разных объектов земли и недвижимости.

Затем Ирина посмотрела, что недавно ушло, продано. Схема простая, любой, кто читает прессу, о ней знает: объект покупается на ведомственные деньги и по заниженной цене; затем, путем последующих перепродаж через подставные фирмы, он выводится в частную собственность и продается по уже высокой цене. Деньги делятся между участниками махинации. Было ваше — стало наше, незатейливый воровской лозунг.

Итак, Липкина поняла, что ей искать в компьютере Кошарюка. Но нужные документы оказались засекречены. Она попыталась подобрать пароль — безуспешно. А в конце дня к ней подошел молодой человек из компьютерного отдела, отозвал в сторону.

Оказалось, что он системный администратор корпоративной сети и видел, как кто-то пытался подобрать пароль к файлам Кошарюка. Поскольку самому хозяину взламывать собственный пароль не нужно, то он сразу подумал на Ирину Петровну. Об их отношениях весь Концерн знал...

Валера, так звали сисадмина, спросил, зачем ей это понадобилось. Он не хотел ее закладывать, не разобравшись, потому что у нее могут быть большие неприятности, если он доложит...

Ирина поначалу решила, что Валера ее шантажирует, предложила денег. Но тот отказался. Он просто просил объяснить причину, по которой она пыталась взломать чужой компьютер. Вернее, доступ к некоторым файлам. Если причина уважительная, сказал Валера, то он не станет докладывать начальству.

Ирина, тронутая таким бескорыстием и благородством, решила доверить ему свой секрет. А Валера, узнав факты, решил, в свою очередь, помочь Ирине в борьбе с коррупцией. И, пользуясь своими привилегиями системного администратора, пошарил не только в компьютере у Игнатия Вениаминовича, но и у ряда других лиц из руководства. Работа это кропотливая: прежде чем решить, важен ли документ, необходимо его прочитать. Поэтому он выуживал постепенно, по одному-два компрометирующих документа в день. Но совершил где-то ошибку...

— Все это мне рассказала Ирина Петровна, — уточнил Алексей, — поэтому не могу вам сказать, какую ошибку сделал Валера. Коль скоро она не знает, то не знаю и я. Замечу лишь, что у сисадмина есть начальник, он же начальник компьютерного отдела. Видимо, это он что-то заподозрил...

У Валеры спросить уже не удастся: третье «самоубийство» случилось в пятницу...

Итак, в пятницу Валера не пришел на работу. Это очень насторожило Липкину, даже напугало. Она решила срочно бежать, оставила Кошарюку на столе заявление на отпуск, надеясь, что еще ничем не выдала себя. В последние две недели она делала вид, что обижена на него за недостаточное внимание, и он, к ее облегчению и разочарованию одновременно, особо долго ее не уговаривал.

Доверить свою флешку-сердечко Ирина никому не могла. Муж ее не умен, подруги болтливы... И она придумала ход, который считала блестящим: пришла к Михаилу Козыреву на прием, как было назначено, и сделала все, чтобы удивить его и заинтересовать. Чтобы он согласился на встречу с ней после работы.

Но Михаил объяснил ей, что к нему на прием попадают только по записи... И Ирина решила его выследить. Ей это удалось. Удалось и затащить его в кафе. Там она рассказала ему о двух убийствах — в тот момент она еще не знала о гибели Валеры — и попросила Михаила сохранить сердечко со словами: «*Если меня убьют, то отдайте его надежным журналистам или надежным следователям*».

После чего она спешно улетела в Тунис, выбрав отель, где ее никто не найдет, как она полагала...

Но Ирина просчиталась. Ее нашли, потратив на это всего два дня.

Она задремала в своем бунгало, на ужин не торопилась, предпочитала ходить в ресторан ближе к концу, поскольку не выносила толпу голодных людей, жадно хватающих куски из лотков и просительно тянущих тарелки к повару на раздаче. Проснулась она оттого, что каким-то образом слетела с кровати на пол. Открыла глаза и увидела...

Их было двое. Один держал ее за волосы, намотав их на руку, другой бил по лицу, сначала не сильно, и требовал сказать, где флешка! Валера им признался во всем, им известно, что она собирала компромат!..

Ирина попыталась вырваться, убежать, закричать, но удар, на этот раз сильный, свалил ее с ног. Тот, что держал ее за волосы сначала, принялся обыскивать ее бунгало, а другой стал бить ее носком ботинка в лицо...

Она не выдержала. Сказала им про Мишу...

Катя плакала. Олег, сидевший рядом, обнял ее за плечи и прижал к себе. «Вот и хорошо», — мысленно одобрил Кис и перевел глаза на Любу. Та кусала побелевшие губы...

— Сделать перерыв? — спросил детектив.

Ему ответили дружным «нет». И он продолжил.

Ирине повезло: бандиты не добили ее. Видимо, они решили, что она уже мертва или что умрет вскорости. Она находилась без сознания, когда они покинули ее бунгало...

Однако через некоторое время Ирина очнулась и из последних сил выбралась из своей комнаты, она чувствовала, что вот-вот снова потеряет сознание, а в бунгало ее могли запросто не найти до завтрашнего дня. До которого она вряд ли доживет без медицинской помощи... А то и до конца срока ее пребывания в отеле. И была она права, поскольку впала в кому еще там, у кустов... Хотела дойти до дорожки, но не смогла — сознание ее оставило.

Концерн оплатил транспортировку Липкиной в Москву, в институт Склифосовского. Разумеется, показушный жест — настоящей целью было держать ее под присмотром...

Теперь об убийцах. Понятно, что к ним имеет отношение любовник Ирины, Игнатий Кошарюк. И еще двое, как минимум, весьма высоких руководителей Концерна.

Человек, который взял на себя труд организовать убийства под видом самоубийств, был в Концерне начальником отдела по материально-техническому снабжению. Антон Смылко в начале девяностых состоял в известной бандитской группировке, грабил и убивал, чем и продолжал благополучно заниматься, выбившись «в люди»: грабил государство и убивал тех, кто мешал. У него имелся приличный штат подходящих для таких дел людишек. Но еще у него имелся в родном городе племянник Володя. Не имея ни ума, ни талантов, ни склонности к труду, Вова давно ныл, упрашивая богатого дядю взять его к себе, в столицу. Чем там дядя промышлял, Вова не знал, хотя, скорее всего, догадывался. В какой-то момент дядя дрогнул, уступил. Поселил племяша в своей старой квартире, где давно жили одни тараканы, и стал давать ему мелкие поручения. Затем велел следить за каким-то человеком и столкнуть его под поезд метро. Задание легкое, Вова его без труда выполнил, а дядя хорошенькую сумму ему отвалил в виде премии.

Когда развернулась вся эта история с Ириной Липкиной, Антон поручил племяшу найти сердечко в квартире Михаила, снова пообещав, в случае удачи, крупное вознаграждение. Расписание Козырева Смылко отлично знал, поскольку тот работал в Концерне, и велел без четверти шесть уходить из квартиры вне зависимости от результатов.

Казалось бы, поручение несложное. И ключ, подходящий под тот тип замка, что на двери у Козырева, дядя дал. Но ума-то нет. При этом денег охота, дядя премию обещал. И засиделся Вова в квартире... Когда Михаил вошел к себе домой, Вова испугался, запаниковал. Он отбежал к окну — хозяин оставил его открытым, — не соображая, что делает. Козырев, увидев парня, по лицу понял, что за человек к нему явился и зачем. Он бросился к Вове. Однако тому удалось уклониться, поднырнуть под рукой Михаила, который по инерции врезался в подоконник. И в этот момент, вместо того чтобы бежать долой что есть мочи, Вова развернулся и толкнул согнувшегося от удара Мишу в окно... У гаденыша мысль мелькнула, что в отсутствие хозяина он закончит осмотр квартиры без помех и получит обещанную дядей награду.

Поскольку он туп, то не сообразил, что к квартире побегут люди. Только когда услышал под окном крики, выскочил из квартиры Козырева и сиганул наверх. Там и пересидел полицию. В последующие дни он стерег квартиру — премию-то охота! Но она была опечатана, дядя велел не привлекать внимания — хватит, Вова уже лажанулся с убийством хозяина квартиры! Сам Антон наверняка держал руку на пульсе полицейского расследования и знал, что у погибшего есть сестра.

И дождался Вова дня, когда приехала Катя. С ней явился участковый, печати снял. И собрался уж Вова в квартиру залезть, как тут явились мы с Любой. Потом там остался Игорь по моему поручению. В результате Вова смог в нее попасть незадолго до возвращения Кати. Поскольку дядя его крепко отчитал за прокол с Михаилом, то Кате в некотором смысле повезло: Вова ее не сильно ударил по голове, запомнил дядин наказ.

Катя, встретив взгляд детектива, покачала головой, словно поражаясь ординарности и глубинной мерзостности человекообразного существа под именем Владимир Смылко...

— Сердечко Вова так и не нашел, — продолжал детектив. — Где оно было на самом деле, вы уже знаете: Люба вам рассказала, я в курсе. Но хочу заметить следующее: догадаться о том, что в этой бижутерии спрятана флешка, несведущему человеку невозможно. Ни Михаил не догадался, ни Люба, — ни даже я, сыщик! И никто из вас не сообразил бы. Так что насмешливые комментарии советую попридержать!

— А дальше-то что было, Алексей Андреевич?

— Дальше? Ну... Дальше мне жена сказала, что это флешка, она такую видела у коллеги. К этому моменту у меня уже имелось множество разных догадок и соображений, и с флешкой все стало на свои места, окончательно выстроилось. Я попросил помощи у полиции, мы поехали в институт Склифосовского, где находилась Ирина Липкина... И взяли двух санитаров, ее мужа и мелкого гаденыша... Да, насчет мужа, это любопытно. Ирина, как вы уже знаете, сказала ему о любовнике. Самолюбие Евгения Николаевича было страшно уязвлено, как водится, но он скрасил себе удар сам, сочинив утешительное объяснение: он-де является в их семье «духовным лидером»... Сколько лет я занимаюсь сыщицкой деятельностью, столько лет не устаю поражаться: до чего же люди горазды себе лгать... И ладно б ложь была безобидна, так нет же! Если бы «духовный лидер» признался себе честно, что оскорбленная гордость довела его до желания смерти жене, то наверняка бы ужаснулся. Но он врал себе, и, когда к нему пришли домой и потребовали его согласия на транспортировку супруги в другое место, он не спорил. Да, ему обещали деньги в случае согласия и угрожали смертью в случае отказа. Но он не стал взвешивать «за» и «против», он сразу выразил готовность содействовать. И даже не спросил, что будет с его женой в «другом месте». Он понял, что. И хотел этого.

— Он что, сам это сказал? Признался? — спросил кто-то.

— М-м-м... Не совсем. Некоторые вещи я вывел из... Конечно, я не такой психолог, как Михаил, но все же... Какой еще вывод можно сделать из факта, что он даже не спросил, чем рискует его жена?

— Что он трус.

— Конечно, трус. Но если бы жизнь Ирины была ему дорога, он бы этот вопрос задал. И не согласился бы мгновенно на требования бандитов.

— Значит, его не посадят?

— Боюсь, что нет. Адвокат подчистит его показания, ему действительно угрожали... Так что в сообщники его вряд ли удастся записать.

— Какая жалость... — вздохнула черноглазая девушка, сидевшая ближе всех к детективу. — А зачем Ирину Липкину хотели перевезти? Почему не попытались избавиться от нее прямо в больнице?

— Они ведь так и не нашли флешку. Решили, что Ирина солгала им. Ждали, пока она выйдет из комы, чтобы снова выбивать из нее ответ. А уж затем убить. Она свидетель и ходячий компромат, для них крайне опасна.

— А как вы узнали, что ее собираются перевозить?

— Ох... Долго рассказывать. Ну, в двух словах: я понял, что бандиты ждут выхода Ирины из комы и что ее обязательно похитят. Только не знал, как они это сделают. Но я принял меры к тому, чтобы мне сообщили, как только она придет в себя, и мы с полицией — к тому моменту я уже поделился своим расследованием с УГРО — приехали в «Склиф». А там оказалось, что Липкина исчезла из палаты... Ну, мы вызвали на подмогу спецназ и нашли «санитаров» с Ириной в подвале.

— Поподробнее расскажите, Алексей Андреевич! А то вы самое интересное зажали! Как нашли, где нашли? Была ли перестрелка? — проговорил один парень.

— Боевичок хотите, а? — улыбнулся Кис. — По правде сказать, я не мастер разговорного жанра...

— Расскажите!!! — раздался хор голосов.

Делать нечего, пришлось Алексею потратить еще несколько минут, чтобы описать подробности их беготни по этажам и подвалам. Не забыл он упомянуть и Игоря, который, не смотря на травмы, лихо взял Вову Смылко.

— А перестрелки, братцы, не было. Кто же станет со спецназом *перестреливаться*? Сдались «санитары» сразу же, как только поняли, что их укрытие обнаружили...

— Алексей Андреевич, а другие останутся безнаказанными, что ли? Вы сказали, что загребли в «Склифе» санитаров, Вову и мужа Липкиной. А эти, которые пилили госимущество, которые убивали? Ее любовник, потом, как его, Антон Мылко...

— Смылко.

— Один черт... И еще вы сказали, что как минимум два других замешаны. Неужели они уйдут от ответственности, да?

— А это... А у меня для вас сюрприз! Вы все сюда примчались с работы, не так ли? Не было времени новости почитать?

С этими словам Алексей достал из своего портфеля стопку газет. Даже не разворачивая их, можно было увидеть крупные заголовки: «Громкое дело в Концерне», «Задержаны руководители известного на всю страну Концерна по подозрению в коррупции, отмывании денег и убийствах»...

Он пустил стопку по рукам, народ зашелестел страницами.

— Я пойду, ребятки. Вроде бы все рассказал.

Послышались разрозненные «спасибо».

— Да, Люба... Заглядывайте к нам. Дети спрашивают, когда вы придете!

— Я... Я с удовольствием! — зарделась девушка, аки майская роза.

Кис кивнул и вдруг краем глаза заметил, как Катя улыбнулась, глядя на Олега. «Фраза про детей стопроцентно сработает, правда?» — долетели до него ее слова.

Что Катя имела в виду, детектив не знал. Конечно, Любу он позвал, чтобы... Ну, чтобы... Ей с детьми хорошо, им с ней тоже, отчего бы и не... Пусть приходит, пока своими не обзавелась...

Алексей Кисанов тихо закрыл за собой дверь спортзала и пошел к своей машине.

ОГЛАВЛЕНИЕ

Литературно-художественное издание

Гармаш-Роффе Татьяна Владимировна

СЕРДЦЕ НЕ ОБМАНЕТ, СЕРДЦЕ НЕ ПРЕДАСТ

Ответственный редактор *О. Рубис*
Редактор *Т. Другова*
Художественный редактор *С. Груздев*
Технический редактор *О. Лёвкин*
Компьютерная верстка *Г. Клочкова*
Корректор *Д. Горобец*

ООО «Издательство «Эксмо»
127299, Москва, ул. Клары Цеткин, д. 18/5. Тел. 411-68-86, 956-39-21.
Home page: **www.eksmo.ru** E-mail: **info@eksmo.ru**

Өндіруші: «ЭКСМО» АҚБ Баспасы, 127299, Мәскеу, Клара Цеткин көшесі, 18/5 үй.
Тел. 8 (495) 411-68-86, 8 (495) 956-39-21.
Home page: www.eksmo.ru . E-mail: info@eksmo.ru.
Қазақстан Республикасындағы Өкілдігі: «РДЦ-Алматы» ЖШС, Алматы қаласы,
Домбровский көшесі, 3«а», Б литері, 1 кеңсе. Тел.: 8(727) 2 51 59 89,90,91,92,
факс: 8 (727) 251 58 12 ішкі 107; E-mail: RDC-Almaty@eksmo.kz
Қазақстан Республикасының аумағында өнімдер бойынша шағымды Қазақстан
Республикасындағы Өкілдігі қабылдайды: «РДЦ-Алматы» ЖШС,
Алматы қаласы, Домбровский көшесі, 3«а», Б литері, 1 кеңсе.
Өнімдердің жарамдылық мерзімі шектелмеген.

Сведения о подтверждении соответствия издания согласно законодательству РФ о техническом регулировании можно получить по адресу: htpp://eksmo.ru/certification/

Подписано в печать 05.03.2013.
Формат 84×108 1/32. Гарнитура «Таймс». Печать офсетная.
Усл. печ. л. 16,8.
Тираж 17 100 экз. Заказ 2062.

Отпечатано в ОАО «Можайский полиграфический комбинат»
143200, г. Можайск, ул. Мира, 93
www.oaompk.ru, www.оаомпк.рф тел.: (495) 745-84-28, (49638) 20-685

ISBN 978-5-699-63685-3

Серия детективных романов

«CRIME & PRIVATE»

CRIME & PRIVATE
анна
Данилова
Девять жизней Греты
Их счастье походило на волшебный сон, но пробуждение было страшным.

Это не только классически изящные криминальные романы, но и вечный поединок страсти и рассудка, реальности и мечты, импульсивных эмоций и голого расчета. Судьбы героев вершит мастер психологического детектива ***Анна ДАНИЛОВА***!

www.eksmo.ru

2011-243